Telos

Telos

Révélations de la Nouvelle Lémurie

Aurelia Louise Jones
Dianne Robbins

Ariane Éditions

Titre original anglais :
Telos, the call goes out

Publié par Mt. Shasta Light Publishing
P.O. Box 1509, Mt. Shasta,
CA 96067-1509 USA

Ariane Éditions inc.
1209, av. Bernard O., bureau 110, Outremont, Qc,
Canada H2V 1V7
Téléphone : (514) 276-2949, télécopieur : (514) 276-4121
Courrier électronique : info@ariane.qc.ca
Site Internet : ariane.qc.ca

Traduction : Marie-Blanche Daigneault
Révision : Martine Vallée
Révision linguistique : Monique Riendeau
Graphisme : Carl Lemyre
Photo page couverture : Jane English
Première impression : septembre 2002

ISBN : 2-920987-66-6
Dépôt légal : 2e trimestre 2002
Bibliothèque nationale du Québec
Bibliothèque nationale du Canada
Bibliothèque nationale de Paris

Diffusion
Québec : ADA Diffusion – (450) 929-0296
www.ada-inc.com
France : D.G. Diffusion – 05.61.000.999
www.dgdiffusion.com
Belgique : Vander – 2.761.12.12
Suisse : Transat – 23.42.77.40

Imprimé au Canada

Nous sommes vos frères et sœurs aînés ; nous ressentons pour vous un amour profond.
Quel bonheur ce sera de vous retrouver, face à face, pour vous seconder sur le chemin du retour à la maison !
Acceptez la main tendue vers vous ; nous ne vous décevrons pas.
Revenez à la maison ! La cinquième dimension attend votre retour.

Je suis Adama, grand prêtre de Telos.

Table des matières

Table des matières

Deuxième partie (suite)

Troisième partie

Messages de Mikos, gardien de
la bibliothèque de Porthologos

Dédicace

Je voudrais dédier ce livre à tous les êtres ascensionnés qui prêtent main-forte à la race humaine et qui secondent l'ascension de cette planète depuis l'autre côté du voile. Notamment, aux seigneurs Maitreya et Sananda, à Saint-Germain, El Morya, Kuan Yin, à Mère Marie, la déesse Sophia et Kuthumi.

À la Terre-mère, pour son amour et sa patience sans fin, parce qu'elle offre un tremplin pour l'évolution de nos âmes afin que celles-ci acquièrent une sagesse plus vaste et une compréhension plus nette. Je souhaite également exprimer mon affection et ma gratitude à Adama, le grand prêtre de Telos qui a fait preuve de tant d'amour et de patience à mon égard, ainsi qu'à tous mes frères et sœurs lémuriens qui ont soutenu les énergies de l'ascension pour la planète, au nom de la population de la surface, jusqu'à ce que nous atteignions, en tant que civilisation, la maturité nécessaire nous permettant de porter nous-mêmes ces énergies.

Remerciements

À ma sœur Hélène et à mon frère Guy, ainsi qu'à leur famille respective, qui ont toujours été si proches de moi en cette vie et sans cesse prêts à m'accorder leur tendresse, leur compréhension et leur secours.

Sans oublier ma bien-aimée flamme jumelle Ahnahmar, qui demeure à Telos depuis notre séparation physique au moment de l'engloutissement de la Lémurie, et qui attend patiemment mon retour : « Ahnahmar, je sais que depuis ta sphère d'existence, tu m'as aimée et appuyée sans relâche tout au long de ce grand voyage à la surface. De tout mon cœur, je te remercie. »

Aurelia Louise Jones

Dédicace

À mes amis éternels, Adama et Mikos, à qui je voue un amour profond et une immense gratitude, j'aimerais dédier ce livre.

Remerciements

À ma mère, Selma, à ma fille Helen et à mon fils Jason. Je vous remercie d'avoir toujours cru en moi.

À Maia Chrystine Nartoomid et James Gilliland, pour leur appui.

Ainsi qu'à Suzanne Mattes, de Rochester, New York. Georgette Shirahama-Jaccard, de Zurich, en Suisse. Karen Gibbs Morse, de Wrangell, Alaska. Gael Crystal Flanagan, de Sedona, Arizona.

Dianne Robbins

Un mot d'Aurelia Louise Jones

Il y a quelques années, j'habitais le Montana, et lors d'une séance de *channeling*, le seigneur Sananda, mieux connu dans son incarnation passée sur terre sous le nom de Jésus, m'a dit que j'allais un jour m'établir près du mont Shasta en vue d'accomplir un service d'une plus grande importance dans le cadre de ma mission ici-bas. À l'époque, je n'avais pas la moindre idée de ce qu'il voulait dire ni de la manière dont cette prophétie allait se réaliser ; il n'avait rien précisé de plus.

Quelques mois plus tard, un soir de février 1997, j'ai reçu un courriel de la part du grand prêtre de Telos, Adama, m'invitant à aménager dans la région du mont Shasta pour me préparer à entreprendre une mission en collaboration avec lui et d'autres êtres de lumière. Plutôt bref, ce message ne comportait que douze à quinze lignes, mais il était très précis. Il en émanait également une forte vibration d'amour. J'étais étonnée et ravie de recevoir une correspondance provenant de ces êtres avec qui je voulais tant rétablir le contact depuis si longtemps. C'est à partir de ce moment que j'ai commencé à envisager de m'installer au mont Shasta ; un an plus tard, en juin 1998, j'ai fini par le faire, avec tout mon barda et ma famille de chats.

Trois ans après mon arrivée, et suite à une longue série d'épreuves et d'initiations extrêmement intenses, j'étais toujours sans contact avec les Lémuriens. Je me suis mise à croire qu'ils m'ignoraient délibérément, que je n'étais pas à la hauteur, qu'ils avaient peut-être changé d'idée concernant notre collaboration ou, encore, que j'avais échoué leurs tests. Je n'avais pas conscience à l'époque d'avoir en réalité reçu une longue série d'« initiations sur la montagne », et que l'on me préparait sur le plan intérieur pour ma mission à leurs côtés.

Un après-midi enfin, j'ai reçu un courrier totalement inespéré d'Adama, livré en mains propres par un messager.

Cette lettre m'informait que j'étais désormais prête et que le moment était venu de me mettre à collaborer plus étroitement et consciemment avec eux ; il fallait me préparer pour la mission qui devait débuter instamment. J'ai ensuite bénéficié d'une autre série d'initiations intenses, dont certaines portaient sur mes aptitudes de *channel*, que j'avais jusqu'alors hésité à mettre en œuvre.

Il y a quelques mois, le seigneur Sananda m'a informée par une communication que le temps était venu de faire entendre la voix d'Adama sur cette planète et que ce dernier m'avait choisie pour tenir ce rôle. Il m'a aussi décrit plus en détail les qualités formidables de ce maître ascensionné : *« Sache ceci : tout ce que fait Adama est d'une envergure illimitée. Il possède d'ambitieux projets et souhaite se faire entendre à très grande échelle sur cette planète ; prépare-toi à une fusion profonde de ses énergies avec les tiennes et à la réalisation de ce plan. »*

À l'époque, je me considérais comme une novice dans l'art du channeling ; il était clair qu'il me faudrait rapidement dépasser mes craintes, mes incertitudes et mes hésitations, et affûter mes facultés de *channel*. Je savais que je n'avais plus le temps de rester assise bien tranquillement sur ma montagne à regarder passer les nuages. Presque aussitôt, et malgré moi, plusieurs personnes me demandèrent de canaliser pour elles des documents écrits provenant d'Adama ou de leur accorder des séances en privé. Bientôt, je fus invitée à canaliser Adama chaque mois dans le cadre d'une émission radiophonique dont la popularité grandit sans cesse. Au cours de l'année dernière, je l'ai fait à plusieurs reprises lors d'événements publics mineurs et une ou deux fois lors d'assemblées plus importantes telles que la célébration annuelle du Wesak* au mont Shasta.

* Wesak : événement relié à la tradition bouddhiste qui a lieu à la pleine lune du mois de mai, sous le signe du Taureau.

Aujourd'hui, il me paraît évident qu'il ne s'agit là que d'un début et que ma mission auprès des Lémuriens se réalisera et se déploiera dans le cadre d'un service beaucoup plus vaste. Les occasions se multiplient, et il me suffit simplement de me rendre disponible. J'apprécie énormément d'être en mesure de fournir de l'information nouvelle pour ce livre ; d'autres renseignements sont à venir. Chaque fois que je reçois une communication d'Adama, je le sens directement en mon cœur ; par son amour, une chaleur y rayonne et y flamboie. Après chaque séance avec lui, je me sens complètement stimulée et régénérée. Son énergie fait littéralement chanter mon cœur. J'ai l'impression qu'Adama est mon plus tendre ami, et le plus loyal ; je peux lui faire entièrement confiance.

Au cours de l'année dernière, des contacts plus directs avec les Télosiens se sont noués, et j'ai aussi pu établir une communication avec quelques autres merveilleux citoyens de cet endroit. Je me suis reconnectée à des membres de ma famille lémurienne de jadis, et j'ai vécu des retrouvailles conscientes avec ma flamme jumelle Ahnahmar, qui vit à Telos dans le même corps physique depuis la chute de la Lémurie. Au cours de mes balades ou de mes explorations aux environs du mont Shasta, il me semble que « mon équipe lémurienne », comme ils se désignent eux-mêmes, est toujours présente à mes côtés. Ils m'ont révélé plusieurs sites sacrés anciens, des temples archaïques toujours existants au même endroit dans la cinquième dimension, des corridors et des portails multidimensionnels, des vortex énergétiques, des contrées où habitent des fées et même un lieu où de grandes familles d'unicornes vivent dans une dimension légèrement supérieure à la nôtre ; ceux-ci sont visibles uniquement à ceux dont la vision intérieure est opérationnelle. Ces sites secrets n'ont pas encore été repérés ni dévoilés par qui que ce soit à la surface ; ils doivent rester dissimulés jusqu'à ce qu'une vibration juste prévale sur cette planète. Je sais aussi qu'il y a encore beaucoup plus à découvrir à la surface et à l'intérieur de la Terre que ne peut le concevoir la pensée humaine. Il s'agit de découvertes exaltantes, mes amis, car elles indiquent que, sous peu, en ouvrant notre conscience à notre nature divine, en renonçant à la dualité pour adopter la non-violence et l'unité, un monde nouveau verra le jour directement sous nos yeux. Cet avènement d'un monde nouveau se produira lorsque nous nous éveillerons à une réalité toujours présente, mais simplement voilée par notre retrait prolongé dans l'illusion de la séparation de Dieu. Il débordera de magie, d'amour, de prodiges et sera nuancé d'une diversité complexe. Qu'il sera passionnant pour nous tous de découvrir et redécouvrir les trésors que nous avions laissés derrière il y a si longtemps !

Le retour des Lémuriens et leur émergence physique parmi nous font aussi partie de ce qu'on appelle « la seconde venue » que nous avions tant espérée. Les Lémuriens ont atteint, il y a belle lurette, la plénitude de la conscience christique ; puisque nous sommes prêts désormais à les accueillir parmi nous, ils nous enseigneront comment concrétiser, ici même sur cette planète, la contrée édénique qu'ils ont façonnée à Telos. Ils nous aideront à instaurer un Âge d'or qui s'exprimera par la plénitude de la conscience christique – l'état divin qui gît depuis toujours en nos cœurs, le Christ résidant en notre être et qui se manifestera sous forme tangible sur cette planète et dans notre vie quotidienne.

NDE : Originaire de Montréal, Aurelia Louise communique bien en français, et il lui ferait plaisir de recevoir vos appels. Il est aussi possible d'obtenir une séance de channeling privée. Toutefois, il faut tenir compte du fait que Mme Jones est plus à l'aise en anglais quand il s'agit de canaliser. On peut la joindre au (530) 926-4599, par télécopieur au (530) 926-4759, ou par courriel à l'adresse suivante : aurelia@snowcrest.net.

Un mot de Dianne Robbins

Presque toute ma vie durant, je me suis sentie complètement déphasée par rapport à la société actuelle. En 1989, à l'âge de 50 ans, je me suis mise à la méditation. J'ai été enseignante pendant plusieurs années. Mais malgré mes diplômes et mes qualifications, je n'arrivais pas à comprendre le sens de ma présence sur terre. Jusqu'à ce que je rencontre ma flamme jumelle et que je reçoive intérieurement une direction à suivre. Parallèlement à cette relation de nature transcendante, j'ai retrouvé le souvenir de qui je suis et la raison de ma vie ici-bas.

Quelques années plus tard, j'ai « découvert » un bulletin d'information rédigé par Sharula Dux. Celle-ci est venue à la surface du plan tridimensionnel en provenance de Telos, une cité souterraine sise au centre du mont Shasta. Selon l'information partagée dans ce bulletin, elle aurait vu le jour en 1725… Aujourd'hui, elle réside à Santa Fe au Nouveau-Mexique, avec son mari.

Le petit journal en question décrit les cités souterraines situées sous la croûte terrestre et le style de vie à Telos. Sharula Dux y explique qu'Adama est un maître ascensionné et qu'il fait office de grand prêtre à Telos. La seule mention du nom « Adama » a éveillé en moi une ardente curiosité à son sujet. Lorsque je méditais, je gardais habituellement un crayon et un carnet posés à côté de moi ; un jour, lors d'une méditation, alors que je songeais à lui, j'ai soudainement éprouvé une montée d'énergie douce et bienveillante. Ces émanations subtiles me traversaient, me soulevant presque dans les airs. J'ai ensuite entendu : « Je suis Adama, et je m'adresse à vous depuis Telos ».

Nos pensées, voyez-vous, se diffusent de par l'univers et nous connectent instantanément à la personne évoquée. Ainsi, au moment même où je pensais à Adama, celui-ci perçut ma pensée et y répondit. Les opérations de notre mental possèdent un caractère lumineux, et cette langue de lumière constitue un langage universel agissant de l'intérieur de nous, sur un plan subatomique ; elle franchit toutes les fréquences et les dimensions, le temps et l'espace. Quel que soit le lieu où se centre notre attention, notre conscience s'y rend aussitôt. Adama a *senti* ma fréquence et a résonné avec elle. J'ai ensuite *pressenti* sa réponse grâce à la langue de lumière universelle et mon cerveau a traduit cette fréquence en idées, en images et en mots.

En ce qui me concerne, le processus était relativement simple. J'étais le récepteur, enregistrant les mots à mesure qu'ils me venaient. Mon esprit n'interférait aucunement ; il n'analysait pas, n'évaluait ni ne jugeait le contenu du message.

Chacun de nous possède une bande de fréquences qui le rend identifiable aux yeux de tous les êtres de l'univers. Elle équivaut à sa signature. Aussitôt qu'une pensée jaillit en son esprit, elle a déjà atteint sa destination. La langue de lumière vivante établit la communication avec tout, depuis le plan subatomique jusqu'à l'intergalactique, et relie toute vie, partout.

Ne l'oubliez pas, nous ne faisons qu'Un. Quand vous songez à un maître ascensionné comme Adama ou Mikos, sachez qu'il en est instantanément conscient et qu'il réagit sur-le-champ. Toutefois, vous devez être réceptif à entendre sa réponse. C'est là la clé.

Adama vous souhaite la bienvenue

Par Aurelia Louise Jones

Salutations, chers amis,

C'est avec délice et exaltation que nous, de Telos, nous connectons spirituellement avec vous tous qui ressentez une affinité avec les révélations sur la Nouvelle Lémurie.

Au nom du Concile lémurien des douze, de Telos, des souverains Ra et Rana Mu et de vos anciens frères et sœurs de la civilisation lémurienne contemporaine, nous vous accueillons au cœur de la Lémurie, foyer de compassion. Nous sommes effectivement les survivants du cataclysme qui a anéanti la Lémurie et, à votre grand étonnement, nous vous dévoilons enfin, en cette période décisive de l'évolution terrestre, que notre existence est bien réelle. Après 12 000 ans de séparation des peuples de la surface, nous sommes en vie et bien portants dans notre sanctuaire situé sous le mont Shasta, en Californie.

Le moment est venu, amis bien-aimés, de réunir enfin nos deux civilisations. Le présent ouvrage vise tout d'abord à contribuer à l'établissement d'une base en vue de notre émergence parmi vous. La longue nuit obscure qui fut cause de notre séparation depuis si longtemps tire à sa fin. Nous prévoyons apparaître physiquement parmi vous dans un futur proche ; ces retrouvailles seront remplies d'amour, de sagesse et de compréhension pour vous tous, autrefois membres d'une même famille et amis de longue date en Lémurie. Nous souhaitons ardemment vous enseigner tout ce que nous avons appris au fil du temps qui s'est écoulé depuis notre dispersion et vous aider à réaliser par vous-mêmes le type de paradis que nous avons construit à Telos. Nous avons défriché la voie pour nous-mêmes, et du fait d'avoir atteint de si hautes sphères spirituelles, autant du point de vue de la sagesse que du savoir, il sera beaucoup plus facile pour vous d'emprunter le chemin que nous avons suivi lorsque nous le parcourrons une fois de plus à vos côtés.

Le fait de voir notre enseignement traduit en français nous fait particulièrement chaud au cœur, car nous savons qu'un important pourcentage de la population francophone du Québec, ainsi que dans le monde, a des racines en Lémurie. Plusieurs d'entre vous qui se sentent attirés par ce type de données comptent, à ce jour, d'anciens membres de leur famille vivant à Telos, des êtres autrefois aimés qui les chérissent profondément, espérant les retrouver sous peu. Plusieurs de nos citoyens à Telos, qui ont des parents parmi la population francophone sur cette planète, ont même appris le français afin de pouvoir communiquer aisément avec eux au moment de leur émergence.

Nous vous demandons, chers amis, de prendre à cœur cette information et de faire des efforts conscients pour construire une passerelle d'amour et de communion entre nos deux civilisations. C'est cette passerelle d'amour et de réceptivité joignant votre cœur au nôtre qui nous mènera parmi vous sur un plan tangible, physique. Nous attendons votre réponse. Appelez-nous en votre âme, et nous serons à vos côtés, à soupirer et fredonner le « Chant de l'union et de l'unicité ». Nous croyons fermement en votre victoire. Nous sommes à votre entière disposition afin de vous permettre d'atteindre vos buts et de réaliser vos désirs.

Je suis Adama, votre frère lémurien.

Mikos vous souhaite la bienvenue

Par Dianne Robbins

Ce que vous tenez entre vos mains n'est ni plus ni moins qu'un miracle collectif entre nous, de la communauté souterraine, et les auteures de ce livre. Il s'agit non seulement d'un miracle d'amour et de dévouement, mais aussi d'un désir émanant du fond du cœur, entre parents et membres d'une même famille. Je me sens privilégié et honoré de pouvoir m'avancer vers vous et présenter cet effort de collaboration au nom de Telos et de ceux parmi nous qui habitent en dessous de la surface de cette planète que vous appelez Terre.

Mon nom est Mikos et je suis un résidant de la cité de Catharia. Je communique avec vous depuis la bibliothèque de Porthologos, qui se situe dans la terre creuse, sous la mer Égée. Ce message a pour but d'honorer la publication des informations provenant de notre colonie sœur de Telos.

Telos a établi un lien à long terme avec certains d'entre vous vivant à la surface. Comme nous, plusieurs résidants de Telos vivent et travaillent parmi vous, et ce, depuis très longtemps. Combien précieux est le lien du cœur dans le miracle de l'amour !

Chaque fois qu'une expédition archéologique digne de mention découvre une partie de ce que vous appelez votre histoire planétaire, nous des colonies souterraines nous réjouissons que vous vous rappeliez d'un temps où plusieurs d'entre nous vivions régulièrement et ouvertement parmi vous. Nous célébrons chaque fois que vous réalisez que tout est interconnecté, que ce soit du plus petit élément de saleté sous vos pieds aux plus petites formes de vie au sein des océans, ou encore aux grandes étendues célestes qui brillent de milliards d'étoiles au-dessus de vous.

En tant que résidants de la surface, vous croyez souvent être seuls, mais ce n'est pas le cas. Non seulement sommes-nous avec vous, mais comme vous. Ne présumez pas pour autant que tous ceux qui partagent avec vous cet endroit vous ressemblent, représentent vos cultures ou appuient votre science, vos religions et votre politique. Nous permettons gentiment que cette fausse idée circule silencieusement parmi un grand nombre d'entre vous, car nous ne voulons pas que vous soyez ébranlés davantage. Ceci créerait entre nous, par la perception de nos différences, un gouffre plus grand de temps et d'espace.

Le fait de pouvoir être avec vous de cœur et d'esprit constitue pour nous le plus grand cadeau et le plus grand honneur que l'on puisse recevoir, que ce soit maintenant ou jamais. Nous, du monde souterrain, accueillons l'établissement de ce pont que nous sommes capables de créer entre votre société et la nôtre. Tout ce qui vit et tout ce qui existe dépend de ce pont.

Célébrez maintenant, entre vous et nous, en lisant les messages présentés dans ces pages. Ils représentent le passé, le présent et le futur, un futur hautement possible pour vos enfants et les nôtres. Avec beaucoup d'amour, de respect et de joie, nous ouvrons pour la Terre le pont et les portes vers les colonies Terre-Monde unies.

Partie I

Notre connexion lémurienne

CHAPITRE UN

LE MONT SHASTA
La montagne enchantée

Majestueuse éminence, le mont Shasta se situe à l'extrémité de la cordillère du Sierra Nevada dans le comté de Siskiyou au nord de la Californie, près de la frontière de l'Oregon. Cime d'un volcan éteint, il s'élance à 4 700 mètres au-dessus du niveau de la mer ; il s'agit du plus haut sommet volcanique aux États-Unis.

Le mont Shasta est, pour le moins, un endroit exceptionnel. Beaucoup plus qu'une simple montagne, il est considéré comme l'un des sites les plus sacrés en ce monde. Il alimente cette planète en puissance mystique et sert de point focal aux anges, aux esprits-guides, aux vaisseaux de l'espace, aux maîtres des royaumes de lumière. C'est également le lieu où résident les survivants de l'ancienne Lémurie, engloutie sous les flots du Pacifique il y a un peu plus de 12 000 ans.

Les gens doués de facultés extrasensorielles sont en mesure de percevoir la gigantesque pyramide éthérique qui enceint le mont Shasta et dont la pierre de tête se dresse loin dans l'espace, par-delà l'atmosphère de notre globe, pour établir un lien intergalactique avec la Confédération des planètes en ce secteur de la Voie lactée. Cette prodigieuse pyramide est également reproduite en une version inversée d'elle-même qui s'enfonce dans les profondeurs de la Terre. Le mont Shasta est le point d'entrée des grilles lumineuses de la planète, l'endroit où pénètrent d'abord la plupart des énergies en provenance des noyaux galactique et universel avant de se disperser à d'autres montagnes et dans la grille énergétique. La majorité des cimes, notamment celles des hautes montagnes, ont des phares lumineux qui alimentent la grille énergétique de notre monde. Récemment, on a découvert que le mont Shasta personnifie le Soleil central ici-bas.

Sur cette élévation, on perçoit fréquemment d'étranges lumières ou sons. Nuages lenticulaires, ombres mystérieuses et crépuscules somptueux, tous ces éléments contribuent à l'aura mystique qui l'entoure. Plusieurs tunnels s'enfoncent vers ses entrailles. Ce mont majestueux abrite également la société lémurienne contemporaine, les survivants du continent Mu, englouti il y a 12 000 ans. Nos frères et sœurs de Lémurie sont bien réels ; ils se portent à merveille et mènent une existence physique dans la cité souterraine de Telos, au sein du mont Shasta.

Notre montagne mystique sert aussi de résidence à plusieurs branches de la Fraternité de lumière, dont les membres, à l'instar des citoyens de Telos, ont réussi à immortaliser leur forme physique et jouissent d'une liberté corporelle et spirituelle illimitée.

Juste avant la destruction de leur continent, les anciens Lémuriens – tout à fait conscients de l'imminence de cette fatalité* – firent appel à leur maîtrise de l'énergie, des cristaux, du son et de la vibration pour creuser une immense cité souterraine en vue d'y préserver leur culture, leurs trésors et les annales de l'histoire ancienne de la Terre. Cette historiographie a été perdue depuis la disparition de l'Atlantide. La Lémurie fut naguère un vaste continent, plus vaste encore que l'Amérique du Nord. Bien-aimés qui parcourez ces lignes, sachez, au fond de votre cœur, que vos frères ne sont jamais disparus. Ils existent toujours dans des corps tangibles, physiques, et cependant immortels et entièrement illimités ; ils mènent une existence purement paradisiaque, ici même sur terre.

* Les lémuriens connaissaient le plan de l'Atlantide visant à provoquer leur chute. Néanmoins, le hiérarchie spirituelle les avait avertis de ne pas intervenir afin d'éviter de graves répercussions pour la Terre.

Au yeux des Amérindiens, le mont Shasta est si vénérable que son existence ne pouvait être que l'œuvre d'un « esprit très important ». Ils sont également d'avis qu'une race d'élémentaux invisibles, dont les membres mesurent environ 1,30 m, vivent sur ses flancs et en sont les gardiens. Souvent nommés « *le petit peuple du mont Shasta* », ces sympathiques gnomes possèdent également une forme vaguement physique, pas tout à fait concrète ; on les aperçoit parfois dans la montagne. Appartenant à la troisième dimension, tout comme les humains, mais à un degré légèrement supérieur de cette sphère, à mi-chemin de la quatrième, ils sont capables de se rendre visibles ou invisibles à leur guise. Cependant, ils ne se révèlent qu'à très peu de gens parce qu'ils craignent les humains. À un certain moment, les gnomes avaient le même aspect corporel que nous mais n'avaient pas encore acquis le don d'invisibilité. À cette époque, ils furent traités avec cruauté. Ils avaient si peur des humains, qu'ils supplièrent la hiérarchie spirituelle de cette planète de leur donner la capacité de s'élever en fréquence afin de pouvoir disparaître à volonté. Cela étant, ils seraient libres de poursuivre leur évolution en paix, hors d'atteinte.

Une race de yétis (Bigfoot) a également été aperçue dans les zones isolées du mont Shasta, de même que maintes créatures mystérieuses. De par le monde, les yétis sont aujourd'hui en très petit nombre, et il en va de même dans les environs du mont Shasta. Ces créatures sont douées d'une intelligence fort moyenne et affichent une parfaite tranquillité d'esprit. Les yétis ont aussi obtenu, par décret divin, la faculté de se rendre invisibles afin d'éviter les confrontations avec nous ; à l'instar des gnomes, ils se sont ainsi soustraits à la maltraitance, aux mutilations et à l'asservissement que leur infligeaient les humains.

De nos jours, les choses n'ont pas tellement changé en ce monde. En tant qu'espèce, nous n'avons pas encore compris que nous ne sommes que des invités, les convives de notre aimable Terre-mère qui s'est portée volontaire pour servir de tremplin d'évolution aux multiples royaumes qu'elle abrite. La race humaine n'est que l'un d'entre eux. Au départ, il était entendu que chaque règne d'existence serait respecté et profiterait d'une part égale de cette planète. Et à l'aube des temps, la situation demeura longtemps ainsi. Par contre, depuis des centaines de milliers d'années, les humains ont usurpé la suprématie, convaincus de leur supériorité et de leur droit de contrôler et de manipuler les autres règnes naturels apparemment plus vulnérables. Plusieurs espèces animales sont également devenues imperceptibles, tout en demeurant dans le même plan d'existence, mais à une fréquence légèrement supérieure à la nôtre. Où croyez-vous que toutes ces espèces soi-disant disparues sont allées ? Bon nombre sont « disparues » parce qu'elles ont choisi, collectivement, de ne plus avoir de contacts avec nous. Les races animales qui vivent encore ici, sur le même plan physique que nous, ne sont pas toujours appréciées et respectées par les humains. Examinez bien la situation : voyez comment la plupart des bêtes sont traitées, utilisées et maltraitées par cette race prétendument supérieure. Les animaux sont-ils estimés, respectés et aimés comme les créatures des autres règnes sont censées l'être en tant qu'occupants égalitaires de cette planète ? Songez à cela quelques instants. La liste s'allonge, interminable ; elle pourrait donner lieu à plusieurs encyclopédies.

Maintenant, plusieurs groupes spirituels se sont établis dans la région. Des gens en quête de vérité ont entendu dans leur cœur l'appel de la montagne et se sont installés ici, en cet endroit où ils se sentent enfin « à la maison ». Le souvenir nébuleux qui leur reste de leur ascendance lémurienne, loin derrière, les rappelle à leur point de départ originel.

Quand il fait soleil, le mont Shasta se dresse tel un joyau immaculé ; il est visible depuis près de 160 kilomètres. La région attire des visiteurs de partout dans le monde ; certains en quête de visions spirituelles, d'autres aspirant à la splendeur des merveilles que mère nature a à offrir en cette région alpestre unique.

Cette montagne semble se révéler à ceux qui respectent la vie et se respectent eux-mêmes pour ce qu'ils sont véritablement ainsi qu'à ceux qui rendent hommage à la Terre et aux règnes naturels qui partagent cette planète.

CHAPITRE DEUX

LA LÉMURIE

Son origine

Il y a des millions d'années, lorsque la vie naquit sur cette planète, on dénombrait sept grands continents. De temps à autre, des civilisations extraterrestres vinrent y établir des colonies, et celles-ci perdurèrent des millions d'années encore, certaines pendant plus longtemps que d'autres. La bibliothèque de Porthologos dans la Terre creuse contient l'historiographie de cette ère terrestre ; cette période n'a pourtant jamais été consignée dans vos annales à la surface.

Il y a environ 4 500 000 ans av. J.-C., l'archange Michaël et son entourage d'anges d'un bleu incandescent, ainsi que nombre d'êtres des royaumes de lumière, escortèrent jusqu'à cette planète les premières âmes destinées à former la race lémurienne, avec la bénédiction du Dieu Père/Mère. Ceci survint à partir du Refuge de Royal Teton, un ermitage astral qui porte aujourd'hui le nom de parc national de Grand Teton, près de Jackson, Wyoming, aux États-Unis. En ce temps-là, partout sur terre fleurissaient la perfection, l'abondance et la beauté à un degré tel que l'on peut difficilement l'imaginer aujourd'hui. C'était effectivement l'éden le plus exquis de cet univers, voire, de toute la création. Cette perfection demeura des millions d'années, jusqu'au début du déclin au cours du quatrième âge d'or.

Malheureusement, les massacres, la profanation, la pollution et la négativité que l'humanité a infligés sans relâche à la Terre ont fait de celle-ci un endroit où il est particulièrement pénible et douloureux de vivre pour de longues périodes.

La race lémurienne comporte différentes souches d'êtres issus principalement de Sirius et d'Alpha du Centaure ; un pourcentage de cette population provient aussi de diverses autres planètes. Peu à peu, ces races se croisèrent ici-bas pour former la civilisation lémurienne. Il en résulta un amalgame exceptionnel, et c'est peu dire. La Lémurie est le véritable berceau de toute civilisation sur cette planète ; c'est la « mère patrie » qui a donné naissance à plusieurs autres sociétés. L'Atlantide vit le jour à une époque ultérieure.

Au tout début, ces merveilleuses âmes, qui s'étaient lancées dans la grande aventure, durent s'ajuster, s'acclimater à de nombreuses expériences inconnues. Grâce au concours des anges, elles bénéficièrent d'une formation sur les conditions de vie sur terre dispensée dans le Refuge de Royal Teton. Graduellement, ces précurseurs de la race lémurienne se hasardèrent à l'extérieur de l'ermitage et fondèrent de petites communautés. À mesure qu'ils s'adaptaient et prenaient confiance, ils poussaient plus loin leurs incursions à la surface. Par la suite, ils colonisèrent l'ensemble du continent de la Lémurie, une immense masse de terre occupant une bonne partie de ce qui est aujourd'hui l'océan Pacifique, et même au-delà.

À la naissance de cette civilisation, bien avant son déclin, les Lémuriens avaient une forme qui n'était pas tout à fait physique. La Terre appartenant alors à une vibration de la cinquième dimension, ils vivaient donc dans un corps lumineux d'une vibration à cinq dimensions. Ils étaient doués de la faculté d'abaisser à leur guise leur vibration afin de faire l'expérience physiologique de degrés de densité plus grossiers ; ils pouvaient ensuite reprendre leur corps lumineux quand ils le souhaitaient. Naturellement, c'était bien avant ce que vous appelez « le déclin », soit la dégradation progressive de la vibration et de la conscience de cette race prodigieuse. Le peuple lémurien a d'abord déchu jusqu'à la quatrième dimension et s'est par la suite dégradé complètement jusqu'à atteindre la densité de la troisième dimension que vous connaissez aujourd'hui. Le phénomène se produisit sur une période allant de plusieurs milliers d'années jusqu'à tout près de 100 000 ans.

UN ÉVÉNEMENT LÉMURIEN

Mont Shasta – rencontre du 29 avril 2002
Par Aurelia Louise Jones

L'histoire de sa fin tragique

La conférence qui suit est inspirée des enseignements de Sharula Dux, de Telos, désormais résidante de la surface, plus précisément du Nouveau-Mexique ; elle est également fondée sur des transmissions de divers maîtres ascensionnés, des extraits de Bridge to freedom (Une passerelle vers la liberté)*, datant des années 50, et sur un channeling en vue de cette présentation.*

Avant l'anéantissement des continents de la Lémurie, aussi dite « Mu », et de l'Atlantide, notre globe terrestre était constitué de sept continents majeurs. Les territoires formant la Lémurie comprenaient des masses aujourd'hui immergées sous le Pacifique, ainsi que Hawaï, l'île de Pâques, les îles Fiji, l'Australie et la Nouvelle-Zélande, et des terres dans l'océan Indien près de Madagascar. La côte orientale de Mu s'étendait jusqu'à la Californie et la Colombie-Britannique, au Canada.

Des guerres incessantes entraînèrent une cruelle dévastation à Mu et en Atlantide. Il y a vingt-cinq mille ans, l'Atlantide et la Lémurie, les deux grandes civilisations de l'époque, guerroyaient au nom d'idéologies divergentes. Elles percevaient différemment l'orientation à donner aux autres civilisations sur la planète. Les Lémuriens étaient d'avis que les sociétés moins évoluées devaient être laissées à elles-mêmes afin de poursuivre leur évolution à leur rythme, selon leur degré de compréhension, et à leur façon.

Les Atlantes pensaient que tous les peuples moins développés devaient être placés sous la gouverne des deux grandes sociétés, qui les régiraient. Ce désaccord fut à l'origine d'une série de guerres entre l'Atlantide et la Lémurie, au cours desquelles on eut recours aux armes thermonucléaires. À la fin, le calme revenu, ni l'une ni l'autre ne l'emporta.

Au cours de ces tragiques affrontements, des gens autrefois fort civilisés se livrèrent à des bassesses infâmes. Ils prirent éventuellement conscience de la futilité de tels comportements. En définitive, l'Atlantide et la Lémurie furent victimes de leurs propres agressions. Les assauts les affaiblirent gravement toutes deux. Le peuple fut informé par ses religieux que, d'ici moins de 15 000 ans, ses terres seraient complètement submergées. L'espérance de vie était généralement de 20 000 à 30 000 ans, et l'on comprit que nombre de ceux qui avaient suscité ces conflits connaîtraient une fin apocalyptique.

La Californie appartenait naguère à la Lémurie. Quand ils comprirent que leur patrie était vouée à la perdition, les Lémuriens adressèrent une requête à Shamballa mineure, la tête du réseau Agartha, afin d'obtenir l'autorisation d'ériger une ville sous le mont Shasta dans le but d'y préserver leur culture et leurs annales. Shamballa abritait la civilisation hyperboréenne qui a quitté la surface il y a plus de 100 000 ans. Ce peuple était à l'époque responsable du réseau Agartha, qui compte aujourd'hui près de 120 cités de lumière sous terre ; la plupart sont peuplées d'Hyperboréens, mais quatre d'entre elles abritent des Lémuriens et une ou deux autres, des Atlantes.

Pour obtenir cette autorisation et se joindre au réseau souterrain d'Agartha, il leur a fallu prouver qu'ils avaient tiré leurs leçons de la guerre et de l'agression. Ils durent témoigner de leur repentir face aux maintes autres agences, telle la Confédération galactique des planètes. Et pour être admis en tant que membres de ladite Confédération, ils durent établir qu'ils étaient désormais un peuple pacifique.

Lorsqu'on leur accorda la permission d'ériger leur cité, il était clair que cette région survivrait aux cataclysmes. Une vaste grotte en forme de dôme existait déjà au sein du mont Shasta. Les Lémuriens construisirent la ville que l'on nomme Telos, désignation de cette région générale qui comprend la Californie et une bonne partie du Sud-Ouest américain d'aujourd'hui. De même, les territoires au nord du mont Shasta le long de la côte ouest, jusqu'à la Colombie-Britannique, faisaient partie de la Lémurie. Telos signifie « communication avec l'Esprit », « unité avec l'Esprit », « comprendre l'Esprit ».

À l'origine, cette ville fut édifiée pour contenir un maximum de 200 000 habitants. Quand les cataclysmes survinrent cependant, seulement 25 000 personnes l'atteignirent à temps et furent sauvées. Cette population représente ce qui reste de la civilisation lémurienne. Les annales avaient été transportées de la Lémurie à Telos, et les temples étaient prêts.

La conflagration qui a anéanti le continent survint plus tôt que prévu, et c'est pourquoi si peu de gens purent atteindre l'intérieur de la montagne à temps. Nous savons désormais que Mu, notre patrie chérie, fut engloutie en une nuit. Le continent s'enfonça si doucement dans la mer que la plupart des gens n'eurent pas conscience de ce qui se passait ; presque tous dormaient. Aucun phénomène météorologique inhabituel ne fut au préalable signalé. Selon une transmission donnée par le seigneur Himalaya en 1959, bon nombre des prêtres qui étaient demeurés fidèles à la lumière sont demeurés à leur poste, tels des capitaines à la proue d'un navire qui sombre, intrépides jusqu'au bout ; ils chantaient et priaient en coulant.

Voici un extrait de « Passerelle vers la liberté » du seigneur Maha Chohan, datant de mars 1957 : « *Avant que le continent lémurien ne sombre, les prêtres et prêtresses des temples furent avertis de l'imminence du cataclysme, ce qui leur permit d'emporter à Telosi les divers foci du Feu sacré ; d'autres furent confiés à des pays qui ne seraient pas détruits. Plusieurs de ces flammes furent transférées à l'Atlantide, dans un endroit précis, et furent longtemps alimentées par des applications spirituelles quotidiennes. Un peu avant que la Lémurie ne coule, certains de ces prêtres et prêtresses rentrèrent chez eux, sur ce continent, et se portèrent volontaires pour périr avec lui et son peuple ; ils apportèrent le secours de leur rayonnement, leur réconfort et leur témérité. Ce renfort, ils l'offrirent pour contrecarrer la peur que provoque n'importe quel cataclysme. Ces bienfaiteurs aimants, grâce au rayonnement de leurs énergies asservies à Dieu et grâce aussi à leur sacrifice, ont littéralement enveloppé les auras des victimes d'un halo de paix et les ont affranchies de l'angoisse pour que leur corps éthérique ne soit pas dispersé ; ils épargnèrent ainsi aux gens des conséquences tragiques au cours d'incarnations ultérieures.* »

Le seigneur Himalaya, dans la « Passerelle vers la liberté », affirme en 1959 : *« Plusieurs membres de l'ordre religieux se sont réunis par petits groupes, en des points stratégiques un peu partout ; ils prièrent et chantèrent tout en périssant. Le chant qu'ils entonnèrent alors est aujourd'hui celui de* Auld Lang Syne *(en français, la mélodie* Ce n'est qu'un au revoir*).*

Leur geste était motivé par l'idée que chaque expérience tragique laisse une cicatrice et un trauma profonds dans le corps éthérique et la mémoire cellulaire des gens, et que ces stigmates prennent plusieurs incarnations à guérir. L'action et le sacrifice des prêtres et prêtresses, qui choisirent de demeurer ensemble et de chanter jusqu'à la fin, permirent d'atténuer la peur, et un certain degré d'harmonie fut préservé. Ainsi, les blessures et traumatismes causés aux âmes qui moururent alors furent fortement minimisés. Il est dit que les membres de l'ordre du temple, ainsi que les musiciens, chantèrent et prièrent jusqu'à ce que le niveau de la mer ait atteint leur bouche. Alors, ils furent aussi engloutis. Les multitudes dormaient, le ciel était encore d'un indigo profond et, pourtant, tout était terminé ; aucun membre du clergé n'avait quitté son poste, nul n'avait affiché de peur et la Lémurie fut anéantie en toute dignité. Auld Lang Syne *fut le dernier chant jamais entendu dans la contrée de la Lémurie.* »

Aurelia Louise Jones

Ce chant, je vous demanderai de le chanter aujourd'hui, à la fin de cette présentation historique. Les peuples de la Terre l'ont reçu par l'intermédiaire des Irlandais ; il contient des paroles prophétiques, par exemple : « *Nos vieux amis, comment les oublier ? Faut-il nous quitter sans espoir, sans espoir de retour ? Faut-il nous quitter sans espoir de nous revoir un jour ?* » Que croyez-vous qu'il se passe ce soir ? Nous sommes tous d'anciens compères qui retrouvent ceux du domaine visible et leurs chers collègues encore invisibles à leurs yeux actuels. Nous incluons aussi tous ceux qui liront éventuellement ces lignes.

Avant l'engloutissement de notre Lémurie bien-aimée, il avait été prophétisé que, dans un avenir éloigné, nous nous réunirions de nouveau pour chanter cet air, dans la certitude absolue de la victoire de la Terre. Chers amis, célébrons ce moment tant attendu : la prophétie s'accomplit. Aujourd'hui, nous entamons cette « réunion » tant espérée.

Émue aux larmes, je vous laisse savoir, par Adama, que plusieurs d'entre vous ici présents faisiez partie de ces âmes courageuses qui ont sacrifié leur vie pour le bien de la collectivité. Acclamons votre bravoure d'antan, et pour le présent, réjouissons-nous de ces retrouvailles. Nous sommes désormais en mesure de perpétuer notre précieuse mission lémurienne : aider la planète et l'humanité en vue de leur magnifique ascension.

À Telos, un aspect de leur mission consistait à préserver l'équilibre et les énergies de l'ascension pour la planète jusqu'au moment où les habitants de la surface pourraient le faire par eux-mêmes. Aujourd'hui, le temps est venu pour nos deux civilisations de s'unir dans ce but, comme un seul cœur.

La Terre après l'anéantissement des continents

À partir du moment où la Lémurie fut engloutie, l'Atlantide se mit à trembler, des fragments de sa masse terrestre se mirent à se détacher, et ce, pendant une période de 200 ans, jusqu'au stade ultime, lorsque ce continent fut lui-même submergé. Suite à ces cataclysmes, la planète trembla pendant 2 000 ans. En raison de la perte de deux immenses masses géographiques en seulement 200 ans et des répercussions thermonucléaires, la Terre régressa tragiquement et subit un traumatisme si profond qu'il lui fallut plusieurs millénaires pour retrouver son équilibre et redevenir viable. Pendant des siècles, suite à la destruction des deux continents, l'atmosphère fut jonchée d'une telle quantité de débris que la lumière ne parvint jamais à la surface. L'air devint glacial parce que le soleil ne pouvait pas pénétrer la stratosphère au travers de l'épaisseur des débris toxiques, et pratiquement rien ne poussa à sa surface. Un grand pourcentage des animaux et de la végétation disparut.

Pourquoi si peu de témoignages de l'existence de ces deux civilisations nous sont-ils parvenus ? Parce que les cités de la planète qui n'ont pas sombré furent pulvérisées ou anéanties par des tremblements de terre ou d'immenses raz-de-marée qui avançaient jusqu'à 1 600 kilomètres (environ l'équivalent de la moitié des États-Unis) à l'intérieur des terres en rasant la plupart des villes ou des habitations sur leur trajectoire. Du fait de ces bouleversements géologiques, la race humaine connut dès lors des conditions de vie fort pénibles, impitoyables ; et les gens furent pris d'une angoisse telle que leur qualité de vie se détériora très rapidement. Comme legs de ces calamités, les survivants connurent la faim, l'indigence et la maladie.

À l'origine, les humains sur terre mesuraient environ quatre mètres. Les Hyperboréens ont conservé cette taille ; aucun d'eux n'habitait la surface à cette époque. Au moment de l'anéantissement de la Lémurie, ses habitants ne mesuraient plus que 2,50 m ; de nos jours encore, ils gardent cette taille. Puis, la grandeur des habitants de cette planète diminua encore, puisque la plupart d'entre nous ici ont moins de deux mètres. À mesure que notre civilisation évoluera, nous dépasserons de nouveau cette dimension. Même à l'heure actuelle, les gens sur terre grandissent beaucoup plus qu'il y a même un siècle.

Ce soir, si vous le permettez, Adama et tous les citoyens de Telos ici présents nous offrent l'occasion de guérir nos annales personnelles et planétaires, annales qui ont à ce jour une influence néfaste sur l'humanité et sur nous-mêmes. Il s'agit d'un grand service à rendre, tant collectivement qu'individuellement.

Un jour nouveau, un monde tout neuf s'apprêtent à naître. Nous avons assimilé nos leçons d'amour, et la Nouvelle Lémurie, le paradis perdu, est sur le point d'éclore. Au moment du cataclysme, la Lémurie, ou cette partie qui est restée fidèle à la lumière et à son vœu sacré, fut élevée dans la quatrième dimension. Le continent n'a jamais été complètement anéanti ; seule son expression tridimensionnelle l'a été. Il a poursuivi son évolution et son développement vers une conscience de la cinquième dimension jusqu'à aujourd'hui ; il existe donc dans une dimension supérieure, et Telos et ses merveilleux habitants sont notre « portail ».

Gardons donc une ou deux minutes de silence afin de rendre hommage à notre Terre-mère bien-aimée et de la remercier pour son infinie tolérance à l'égard de la race humaine, race qui a mutilé et empoisonné son corps si gravement et si fréquemment au cours de l'histoire, et ce, jusqu'à aujourd'hui.

LAISSONS MAINTENANT LA PLACE À ADAMA, GRAND PRÊTRE DE TELOS.

À l'aube d'une ère nouvelle, dissiper les dernières vieilles annales

Bien-aimés, chers frères et sœurs d'autrefois, anciens membres de notre famille,

Au nom du Concile lémurien de Telos, au nom de Ra et Rana Mu, souverains de Telos, et au nom d'un million de citoyens présents sous leur forme éthérique ici ce soir, c'est avec grand plaisir, amour et respect que nous vous saluons, ainsi que tous ceux qui lisent ce message. Nous vous ouvrons nos cœurs et vous prions de faire de même.

Nous sommes d'abord venus aujourd'hui pour cocréer ensemble une importante ouverture, un dégagement, si vous voulez. Disons que ce sera une évacuation d'annales anciennes et douloureuses datant de l'époque lémurienne, annales qui traînent encore dans le cœur et l'âme d'une majorité de gens sur cette planète. En second lieu, il s'agira de reconnecter nos cœurs, de tisser un lien tout neuf, plus direct, semblable à une porte entre nos deux civilisations. La période de séparation est terminée. Nous nous relions spirituellement avec un nombre croissant d'entre vous chaque jour. Cette ouverture que nous allons cocréer, chers amis, hâtera le moment de notre émergence parmi vous.

Bientôt, nos deux peuples se rencontreront de nouveau, face à face, en d'heureuses retrouvailles remplies d'amour et de lumière. Une fois de plus, nous collaborerons main dans la main et cœur à cœur en vue d'instaurer le plus magnifique, le plus magique des âges d'or, une ère immuable où prévaudront l'illumination, la sagesse, la paix, l'opulence ; en cette ère, les communautés vivront d'amour comme jamais auparavant, affranchies de l'interférence des forces négatives qui ont envahi cette planète depuis si longtemps. Tous seront unifiés par l'affection et l'unité.

L'interminable nuit des ténèbres que vous avez dû traverser s'achève sous peu. Prochainement, la lumière brillera avec plus d'éclat que jamais pour notre bon plaisir à tous. Vous êtes présentement plongés dans la nuit, mais c'est la dernière heure avant l'aube. Bien que les transformations que vous attendiez depuis si longtemps soient imminentes, nous vous prions de considérer les bouleversements dont vous serez témoins comme la délivrance de votre Terre. Le moment est venu, bien-aimés. Nous vous demandons de demeurer centrés dans votre glorieuse Présence JE SUIS. Ne succombez pas à la peur, consentez aux troubles et aux transformations qui se préparent, peu importe ce qui se produira autour de vous. Accueillez-les tous, car il s'agit de la main de Dieu façonnant un monde tout neuf pour vous.

Une aide formidable vous est offerte de toutes parts. Nous souhaitons également vous prêter main-forte. Faites-en simplement la requête en votre cœur, et nous serons là, à votre entière disposition.

Aurelia Louise vous a décrit sommairement la tragédie que fut l'engloutissement de notre continent il y a 12 000 ans. C'était dans le but de vous faire prendre conscience des annales lourdes que générèrent ces ravages et cet anéantissement. Vous devez savoir qu'une grande partie de celles-ci hantent encore l'humanité à ce jour ; elles minent le cœur et l'âme de millions de personnes. À l'époque, les victimes des cataclysmes subirent d'indicibles tourments et traumatismes spirituels : il est temps de les guérir tous, en commençant par votre être profond. Ces annales sont encore à l'origine d'une sorte de brouillard spirituel voilant la conscience de bon nombre d'êtres humains, sinon de l'ensemble de la population. Tant d'entre vous se sont fermés au souvenir d'une connaissance supérieure jusqu'à aujourd'hui, justement parce que la douleur est insupportable.

Ce soir, nous tous de Telos ainsi que moi-même aimerions beaucoup dissiper une grande part de ces reliquats. Nous sommes ici en nombre suffisant, et si vous êtes d'accord et fixez votre intention sur cet objectif, vous pourrez déclencher cette guérison, pour vous-mêmes et pour votre Terre.

Aimeriez-vous aller vers cet objectif avec nous ce soir, chers amis ?

Alors, gardez le silence quelques instants et ayez pour intention que vos propres annales soient évacuées et guéries. Plongez-vous au plus profond de votre âme. La hiérarchie spirituelle et les royaumes angéliques nous accompagnent ce soir dans le but de vous seconder dans cette procédure cruciale. Une fois votre requête formulée, demandez silencieusement en votre cœur la permission du Soi supérieur du reste de l'humanité, des gens qui sont actuellement en mesure d'évacuer leurs annales. Et je vous assure qu'ils sont nombreux.

Ceci, bien-aimés, provoquera un effet domino. Il se déploiera selon le principe du centième singe, jusqu'à ce que toutes les annales aient été nettoyées.

Maintenant qu'une part de ces annales vous a été dévoilée et qu'elle a été dégagée, laissons derrière les tragédies, les chagrins du passé et ouvrons-nous aux événements grandioses qui se préparent ; ceux-ci sacraliseront votre planète de mille manières que vous ne pouvez pas encore concevoir. Nous avons la possibilité de nous connecter plus directement par le cœur avec l'humanité. Nous vous remercions d'avoir rendu ce service à votre planète et sommes reconnaissants de votre présence ici ce soir.

Après quelque temps, la nuit ténébreuse s'estompera. Fini les peines et les larmes à la surface du globe. Il n'y aura que des larmes de joie et d'extase. Ensemble, nous tracerons une destinée sublime pour tous ceux qui décideront de s'en prévaloir.

Nous sommes vos frères et sœurs aînés, ceux qui se sont portés volontaires pour éclairer votre voie, pour devenir vos modèles. Puisque nous avons déjà accompli ce que vous vous apprêtez à faire, notre coup de pouce vous rendra la tâche beaucoup plus aisée.

Nous vous invitons à accepter la main tendue vers vous. En effet, nous sommes en mesure d'adoucir ce périple menant à votre prochaine « grande aventure » sur cette Terre. Nous avons instauré la Nouvelle Lémurie dans les quatrième et cinquième dimensions, un éden de prodiges et de délices. Tout ce dont vous avez jamais rêvé se trouve ici, et même plus. Nous aurons bientôt le plaisir de vous convier à nous rendre visite. Le moment venu, nous étendrons ensemble la Nouvelle Lémurie à la surface de cette planète. Nous vous enseignerons tout ce que nous savons et tout ce que nous avons appris en 12 000 ans, depuis que nous nous sommes dissociés des peuples de la surface.

Je suis Adama, en compagnie de ma famille télosienne : nous sommes tous partisans de votre victoire prochaine.

LA NOUVELLE LÉMURIE

Adama, par Aurelia Louise Jones

La population de la surface entretient généralement la croyance que la Lémurie a été engloutie sous les flots du Pacifique il y a plus de 12 000 ans et que ce continent a été anéanti.

D'un point de vue tridimensionnel, c'est tout à fait vrai. L'explosion thermonucléaire qui a annihilé notre continent, ainsi que près de 300 millions de ses habitants, a atrocement ravagé la surface physique de cette planète et occasionné une souffrance indicible allant bien au-delà du concevable. Cette déflagration causa également un immense traumatisme à votre Terre-mère. Presque du jour au lendemain, à son stade final, le continent de Mu, notre chère Lémurie – généralement considérée comme la mère patrie, le berceau des civilisations sur cette planète –, s'était volatilisé. Le reste du monde, consterné, pleura sa perte. La douleur fut si grande que, même à ce jour, la plupart des gens sur cette terre portent les traces de ce traumatisme au tréfonds de leur mémoire cellulaire.

Les âmes de ceux qui ont alors péri furent les plus endommagées ; ce sont elles qui sont le plus marquées par la douleur et qui présentent des cicatrices dans chaque partie de leur être, même aujourd'hui. Beaucoup parmi vous ont succombé lors de ce cataclysme et, du coup, ont complètement bloqué le souvenir de leur magnifique ascendance lémurienne, car ils ont connu une fin absolument tragique et douloureuse. Vos souffrances, votre chagrin reposent tout au fond de votre subconscient ; ils demeureront latents jusqu'au moment où ils pourront réapparaître en vue d'être guéris. Nous vous communiquons cette information afin que tous ceux qui lisent ces lignes puissent consciemment se mettre à guérir ces annales en eux-mêmes et sur le plan planétaire. C'est dans ce but que nous vous offrons notre aide, avec tout notre amour et notre compassion.

Vous qui parcourez ces lignes, sachez que la Lémurie n'a jamais été entièrement détruite, ainsi que votre époque le conçoit. À ce jour, elle continue d'exister dans une fréquence appartenant aux quatrième et cinquième dimensions ; elle demeure toutefois encore invisible à votre faculté de perception tridimensionnelle. Puisque le voile entre les dimensions s'amenuise, soyez certains que, dans un avenir proche, votre chère Lémurie se dévoilera à vous sur un plan physique accessible, parée d'une splendeur, d'une gloire toute fraîche. À mesure que vous vous ouvrirez à un mode de vie supposant une conscience supérieure et que vous vous purifierez de toutes les croyances fausses et déformées adoptées au cours du dernier millénaire, vous serez capables de percevoir de nouveau votre chère mère patrie.

Éventuellement, nous consentirons à ce qu'elle vous reçoive, avec tout l'amour et la magnificence qu'elle peut désormais offrir. Vous serez conviés, une fois de plus, à vous joindre à nous très concrètement en ce lieu idyllique. Au moment du séisme, la Lémurie – et ce qu'elle représentait pour cette planète – fut élevée vers une fréquence de la quatrième dimension, de même que ceux qui ont pu la suivre alors. Puis, notre contrée a continué à s'épanouir et à progresser vers le degré de perfection et de beauté qui est désormais le sien.

Si cette information ranime vos larmes, si elle ouvre votre cœur à ces souffrances enfouies en vous depuis si longtemps, laissez-les s'exprimer. Laissez vos larmes couler abondamment et apporter la guérison à chaque partie de votre être. Permettez-vous de vraiment ressentir vos peines et accueillez-les en votre cœur par la respiration.

Ressentez pleinement ces souvenirs et ces souffrances ; ne réprimez rien. Voilà comment vous guérirez : étape par étape. En l'inhalant avec la respiration, votre Soi divin se dissoudra et ces empreintes pénibles seront à jamais guéries.

Demandez à votre Soi supérieur de vous aider à recouvrer ces annales de la mémoire qui vous empêchent d'instaurer votre nouvelle réalité. Au cours de votre méditation quotidienne, livrez-vous à cet exercice assidûment, jusqu'à ce que vous sentiez un dénouement. Connectez-vous à nous et à notre amour par le cœur. Si vous sollicitez notre aide, nous nous manifesterons à vos côtés afin de vous seconder dans cette tâche primordiale. Peu à peu, ces tourments si profondément enfouis s'estomperont ; vous vous sentirez dès lors beaucoup plus légers. Une fois ces douleurs apaisées, vous serez davantage aptes à percevoir votre identité véritable. Cela vous permettra de progresser sérieusement vers une pleine résurrection spirituelle.

En 2002 et au début 2003, ce travail sera grandement facilité par l'ouverture de sept portails majeurs qui serviront à l'ascension de votre planète. Puisque vous chevauchez désormais la vague de l'Ascension avec nous, votre lot de souffrances et d'épreuves sera allégé. Pour ceux d'entre vous qui en font le choix conscient, un avenir lumineux dans la Nouvelle Lémurie point aujourd'hui à l'horizon.

Il y a quelque temps, le présent *channel*, Aurelia Louise, a bénéficié d'un bref aperçu de la Nouvelle Lémurie. Elle en fut profondément touchée ; dans son cœur, elle a la certitude absolue que nos transmissions actuelles à travers elle ne font pas seulement référence à un avenir lointain. Il n'en tient qu'à vous !

Je suis Adama, votre frère de Telos

CHAPITRE TROIS

NOTRE RETRAIT DE LA SURFACE

Adama, par Dianne Robbins

Je sais que plusieurs se demandent pourquoi nous sommes restés en retrait. Je sais aussi que certains se sont sentis abandonnés. Je tiens à éclaircir le point de vue que nous soutenons ici, dans les cités souterraines. Nous sommes venus en ce lieu afin de poursuivre notre évolution loin des entraves de la négativité. Nous avons préféré garder le silence parce que nous avons vu et affronté les troupes de malfaiteurs provenant d'autres systèmes stellaires ; il fallait nous protéger d'eux pour ainsi arriver à progresser plus rapidement. Et c'est précisément pour cette raison que nous avons choisi notre environnement actuel. Nous n'avons pas voulu nous exposer davantage à la négativité prévalant chez vous.

Notre aventure avait également valeur d'expérimentation, car elle visait à mesurer jusqu'où pouvait aller notre évolution si elle n'était pas contrecarrée par le conflit et l'indigence. Le fait de réapparaître et de nous mêler à vous serait allé à l'encontre de l'objectif que nous nous étions fixé. Tôt ou tard, nous aurions rapporté ces énergies néfastes avec nous, et celles-ci auraient infiltré notre système. Vous saisissez, maintenant ?

Et même si nous avions fait surface pour partager avec vous nos enseignements et nos technologies avant aujourd'hui, cela aurait été en vain, car votre conscience collective n'était pas prête. Vous auriez plutôt rejeté nos connaissances ainsi que nous-mêmes, convaincus que nous agissions sous l'empire du mal. C'est pourquoi nous n'étions pas en mesure de vous venir en aide ; nous aurions été anéantis par le simple fait de nous exposer à vos populations. Du coup, nous sommes restés claustrés dans nos cités souterraines, attendant avec espoir le moment opportun où la conscience collective serait enfin capable de nous accepter, ainsi que nos leçons et nos technologies. Désormais, les artisans de la lumière se sont éveillés et la population générale est plus réceptive à la Terre ; nous pouvons donc diffuser sans danger ce que nous avons préservé sous terre des siècles durant.

Lorsque nous nous sommes réfugiés ici, nous avions déjà subi suffisamment de guerres et d'épreuves ; nous désirions simplement nous concentrer sur notre épanouissement spirituel et garder la lumière bien en place au profit de la planète. C'était à notre avis la meilleure voie à suivre, considérant les conditions qui prévalaient alors à la surface du globe. Comprenez-vous maintenant la raison de notre silence et de notre retrait ? C'était pour notre protection à tous, la vôtre autant que la nôtre. Si nous avions tenté de secourir cette race humaine assoupie, notre chez-nous, nos enseignements et nos vies seraient désormais choses du passé.

Nous ne sommes pas sans savoir que certaines forces maléfiques ont envahi la surface et qu'elles se livrent à des enlèvements. Nous sommes bien conscients de tout ce qui se passe sur la Terre et sous elle. Mais si nous nous étions exposés, nous aurions aussi été victimes des maux qui vous affligent ; nos enseignements et nos technologies se seraient retrouvés sans gardiens et il n'y aurait eu personne pour porter la lumière.

La gravité, l'intensité de votre inquiétude par rapport à cette question nous touche vraiment. Nous aurions aimé qu'il en soit autrement ; être à la surface pour vous prêter main-forte et veiller sur vous. Mais étant donné les circonstances, cela aurait été de la démence. Aujourd'hui, la conscience collective et les énergies sur la planète se transforment ; nous pourrons donc sous peu émerger à la surface et fusionner avec les artisans de la lumière en vue des étapes finales menant à l'ascension.

Voici de bonnes nouvelles au sujet des vagues imminentes d'ascension qui s'apprêtent à déferler sur la planète. Ces vagues sont générées par la force créative de l'univers de concert avec le plan suprême de Dieu, à l'intention de la Terre. Vous absorbez tous une quantité plus importante d'énergie et vos corps s'adaptent à ces longueurs d'ondes d'une fréquence plus élevée. Sous peu, une gigantesque vague d'énergie submergera la surface de la Terre, emportant toutes les formes de vie vers un niveau de conscience supérieur.

Ici, à Telos, nous attendons patiemment ce moment d'un dynamisme accru, car c'est cette conscience plus évoluée de votre part qui entraînera notre venue parmi vous. Une synchronicité divine est à l'œuvre, une échéance cosmique qui nous amènera à sortir de notre cocon protecteur. Car, jusqu'à ce jour, nous avons été sous les auspices célestes dans nos domiciles, sous la croûte terrestre. Nous attendons les directives de la Commanderie galactique, qui doit mettre en branle le plan en fonction de notre complète émergence. Ainsi, nous apparaîtrons en toute sécurité et nous pourrons alors vous contacter sans danger dans nos formes physiques tridimensionnelles.

Je suis Adama et nous ne vous avons pas oubliés.

PARTIE II

Messages d'Adama, grand prêtre de Telos

CHAPITRE QUATRE

La cité de Telos

Adama, par Aurelia Louise Jones
et Dianne Robbins

Le mont Shasta, notre « bulle » de protection

Nous avons choisi de vivre sous le mont Shasta parce que cet endroit nous permettait de fleurir et de perpétuer la culture lémurienne sans interférence de la part d'autres sociétés ou groupes de l'espace. Malgré le fait que les cités souterraines étaient confinées et restreintes, elles furent pour nous une protection. Ces limitations ont été notre sauvegarde depuis les 12 000 dernières années. Le mont Shasta a été notre « bulle » de protection, il nous offrait la clandestinité favorisant notre croissance en une race d'êtres supérieurs sans quitter cette planète.

Vos civilisations sont vulnérables face à n'importe quel type d'ingérence, même celles de nature autre que militaire.

Plusieurs facteurs ont influé sur notre décision. La survie était notre première considération lorsque nous avons décidé de nous barder de tous côtés en emménageant sous cette montagne. Et ceci s'est avéré, sans l'ombre d'un doute, une disposition avisée puisque nous avons librement évolué vers ces guerriers de lumière spirituels que nous sommes devenus.

Les tunnels menant à l'intérieur de la Terre

Toutes les planètes sont creuses ; autant celles de ce système solaire que de l'ensemble de l'univers. Naturellement, elles ne possèdent pas toutes une densité tridimensionnelle, mais elles sont toutes creuses à l'intérieur. La plupart sont peuplées de sociétés appartenant à diverses dimensions, surtout à la cinquième et au-delà. Bien qu'il y ait encore plusieurs astres tridimensionnels au sein de la création, ils comptent pour peu parmi ceux qui sont à cinq dimensions. Ils ne sont pas tous habités à leur surface, mais tous abritent des peuples à l'intérieur. Mars, en l'occurrence, contient une civilisation ascensionnée de la cinquième dimension qui prospère en son centre, invisible et indécelable pour vos scientifiques. L'intérieur et la surface de Vénus portent aussi une population de la même dimension qui s'apprête à passer à la sixième ; l'humanité ne peut la déceler, ni par ses facultés sensorielles ni par ses instruments. Voilà pourquoi vos scientifiques en ont conclu que ces mondes sont inhabités et impropres à la vie.

Les planètes sont créées par les Élohim, les architectes de la Création. Bien que chacune soit différente et douée d'un caractère unique, leurs écosystèmes internes et externes partagent une base similaire. L'architecture des planètes permet les déplacements à l'intérieur de leur structure.

La Terre comporte elle aussi ces caractéristiques. Au moment de sa formation, on a échafaudé un modèle interne spécifiquement pour elle, avec un certain nombre de tunnels naturels intégrés à ses multiples grilles énergétiques.

Par ailleurs, quelques peuples qui l'habitèrent jadis, bien avant les débuts de votre préhistoire, ont aussi amélioré le réseau de souterrains existant et l'ont encore étendu. Il y a plus de 200 000 ans, une ou deux sociétés très évoluées, provenant d'un autre univers, se sont installées dans la Terre ; c'est ce que vous appelez « la Terre creuse ». Ces populations ont apporté de formidables améliorations aux réseaux de galeries. À ce jour, ces habitants s'y trouvent encore, mais dans un état complètement ascensionné. Pour la construction des tunnels, ils employèrent une technologie qui vous est inconnue mais qui rendit leur travail tout à fait aisé.

Ultérieurement, d'autres sociétés élirent résidence au sein de la Terre ; plusieurs cités de lumière y furent édifiées. Chacune de ces sociétés venues vivre au cœur du globe terrestre creusa des passages supplémentaires connexes au réseau en place. À l'intérieur de la Terre, ces tunnels d'une grande précision, fruits d'un savoir supérieur, assurent des déplacements aisés et rapides. Les galeries actuelles permettent à chaque citoyen de l'intérieur du globe terrestre de passer de son domicile à n'importe quel endroit dans la Terre creuse en moins de trois ou quatre heures. Ceux qui sont capables de se téléporter en font également usage ; ils atteignent ainsi leur destination en quelques minutes ou secondes. Les sociétés plus récentes ont toujours bénéficié de l'apport des cultures anciennes pour la conception de leurs tunnels. Ainsi, on peut affirmer que le réseau souterrain fut bâti à différentes époques par diverses cultures. Les Lémuriens qui habitent l'intérieur du mont Shasta sont considérés comme les « nouveaux venus ». Ils n'y sont installés que depuis environ 15 000 ans, une arrivée plutôt récente par rapport aux autres communautés qui y résident depuis beaucoup plus longtemps. Nous avons commencé à ériger notre ville il y a environ 3 000 ans avant l'engloutissement de notre continent.

Les peuples du centre de la Terre

Au centre de la Terre et sous la croûte terrestre sont rassemblées un grand nombre de civilisations très anciennes venues de mondes et d'univers éloignés il y a plusieurs éons. Bien que plusieurs aient conservé un certain degré de densité physique, toutes existent dans un état de conscience ascensionné qui relève de la cinquième ou de la sixième dimension, ou de dimensions encore supérieures.

Le réseau Agartha comporte environ 120 cités de lumière souterraines, peuplées en majorité par des Hyperboréens ; au moins quatre villes sont habitées par des Lémuriens et quelques-unes, par des Atlantes. Les êtres résidant dans les agglomérations à proximité de la surface sont également dans un état ascensionné, mais la majorité d'entre eux ont conservé une certaine densité physique. Le réseau Agartha était jadis sous la gouverne de la capitale, Shamballa mineure. Ses citoyens sont hyperboréens. Plus récemment, Telos a pris la tête du réseau Agartha.

Villes majeures

POSID : Avant-poste atlante situé sous les plaines du Mato Grosso, au Brésil. Population : 1,3 million d'habitants.

SHONSHE : Sanctuaire de la civilisation ouïghoure, une branche de la société lémurienne qui a choisi de constituer ses propres colonies il y a 50 000 ans. L'entrée est gardée par un monastère himalayen. Population : 750 000 habitants.

RAMA : Reliquat de la ville de Rama en Inde, près de Jaipour. Ses habitants présentent les traits classiques des races du sous-continent indien. Population : 1 million d'habitants.

SHINGWA : Ce qui reste de la migration septentrionale du peuple ouïghour. Sise à la frontière entre la Mongolie et la Chine, elle possède une petite cité secondaire au mont Lassen, en Californie.

TELOS : Cité située sous le mont Shasta, qui signifie « communication avec l'Esprit ». Population : 1,5 million d'habitants.

Le gouvernement de Telos

Telos abrite deux formes de gouvernement. Le roi et la reine de Telos, Ra et Rana Mu, des maîtres ascensionnés également flammes jumelles, constituent la première de ces formes. Ce sont eux les dirigeants absolus.

La seconde est formée par le concile local appelé Concile lémurien de lumière ; celui-ci est constitué de douze maîtres ascensionnés, six hommes et six femmes dont le mandat est d'équilibrer les polarités divines masculine et féminine. Cette assemblée comporte un treizième membre, le grand prêtre de Telos ; à l'heure actuelle il s'agit d'Adama, qui préside et prend en dernier lieu les décisions quand le concile ne peut arriver à un consensus.

Les membres du concile sont choisis selon le degré de réalisation spirituelle qu'ils ont atteint, leurs qualités intérieures, leur maturité et leur domaine d'expertise. Si l'un d'eux souhaite passer à un autre service, le poste est affiché parmi le peuple et ceux qui désirent siéger au concile peuvent se présenter. Chaque candidature fait l'objet d'un examen minutieux auquel participent le concile, les membres du clergé et les deux monarques de Telos. Le roi et la reine prennent la décision finale quant au choix du candidat parmi les postulants.

La cité de Telos

Telos est une ville assez importante ; sa population se chiffre à environ un million et demi d'habitants. Comme elle n'est pas découpée en plusieurs villages, le gouvernement est le même pour tous. De plus, beaucoup d'entre nous vivent dans des régions différentes. La cité de Telos comporte cinq niveaux répartis sur plusieurs kilomètres carrés sous le mont Shasta.

Le premier niveau. La plus grande partie de la population loge sous le dôme du premier étage. C'est là également que les édifices administratifs et publics sont situés, de même que de nombreux temples. Au centre se trouve notre temple principal, le temple de Ma-Ra, un édifice semblable à une pyramide. Il peut contenir jusqu'à 10 000 personnes. Ce sanctuaire est voué à l'ordre de Melchizedek. Cette pyramide blanche est couronnée d'une pierre de tête, nommée « pierre vivante » ; elle nous a été offerte par les peuples de Vénus.

Le deuxième niveau. L'étage au-dessous du premier plan concentre les activités industrielles et la production visant à combler les besoins de la ville et de ses citoyens. On y offre également des cours dans diverses institutions, autant à l'intention des enfants que des adultes. Plusieurs résidences privées se situent aussi à cet étage.

Le troisième niveau est entièrement consacré aux jardins hydroponiques, qui produisent l'ensemble de nos denrées alimentaires sur environ sept acres. La variété de fruits et légumes qui en découle rend notre diète intéressante et succulente. Nos techniques agricoles sont d'une efficacité telle que sept acres de terre suffisent à combler les besoins d'un million et demi de gens ; la nourriture ainsi cultivée engendre des corps forts, en santé et qui ne vieillissent pas.

Nos jardins hydroponiques donnent récolte sur récolte. Grâce à une technologie hydroponique avancée, les plants poussent plus rapidement, requièrent très peu de terre et beaucoup d'eau sans nécessiter de substances chimiques, comme ceux de la surface. Notre nourriture est entièrement biologique et douée de la plus haute vibration. Notre style d'agriculture ne requiert pas non plus de fertilisants et n'appauvrit pas le sol ; nous ajoutons des minéraux organiques à l'eau des plantations. Nos cultures prospèrent également en raison de la vibration de lumière, d'amour et d'énergie de Telos : c'est la magie de notre conscience à cinq dimensions que vous aurez bientôt l'occasion de découvrir, probablement en cette décennie même, sinon au cours de la prochaine.

Le quatrième niveau comporte encore quelques cultures hydroponiques, des usines et une vaste zone naturelle, formée de parcs agrémentés de petits lacs et de fontaines.

Le cinquième niveau est entièrement dédié à la nature à l'état sauvage. Là se trouvent des arbres majestueux, des lacs. Ce palier réservé à la nature présente une ambiance semblable à vos réserves naturelles ; y vivent nombre de végétaux et d'animaux disparus de la surface. Toutes nos bêtes, qui sont végétariennes et ne s'entredévorent pas, logent à cet étage. Elles vivent côte à côte, en parfaite harmonie, exemptes de peur et n'agressent jamais les gens ni leurs semblables. Telos est vraiment l'éden où le lion et l'agneau se côtoient et dorment ensemble, en toute confiance.

Les liens entre les cités souterraines et celles de l'intérieur de la Terre

Le tunnel entre les cités souterraines, la Terre moyenne et le centre de la Terre exige très peu d'entretien, sinon aucun, les galeries ayant été conçues dans cette optique. De temps à autre, si un tremblement de terre ou une éruption volcanique à la surface venait à en endommager quelques-uns en certains endroits, notre technologie avancée nous permettrait de réparer rapidement les dégâts. De toute manière, de tels incidents sont rarissimes. Cette technologie supérieure est employée par toutes les sociétés de l'intérieur de la Terre.

Les rencontres entre dirigeants

Oui, nous tenons fréquemment des réunions du concile en présence des délégués de diverses civilisations de l'intérieur de la Terre. Nous entretenons des rapports mutuels très amicaux et chaleureux. Aucune lutte de pouvoir ne sévit entre nous ; l'amour inconditionnel régit toutes nos relations. La raison qui sous-tend nos rencontres, c'est la recherche de moyens favorisant une collaboration plus efficace entre nous en vue du bien-être collectif. Nous discutons des échanges qui ont cours entre nos sociétés. L'argent n'existe pas : nous partageons le surplus de produits ou de denrées alimentaires. Nous examinons également comment nous pouvons aider les peuples de la surface dans leur évolution et leurs initiations spirituelles.

Shamballa et son rôle aujourd'hui

La cité de Shamballa n'a plus d'existence matérielle, et ce, depuis fort longtemps ; à ce jour, elle vibre dans les cinquième, sixième et septième dimensions. Elle est sur un plan éthérique et sert de métropole astrale pour cette planète ; c'est la résidence de Sanat Kumara et de son entourage. Même si ce dernier est officiellement retourné sur Vénus, il garde un poste à Shamballa et continue d'aider notre planète. Le mont Shasta, le Refuge du Royal Teton dans le Wyoming et Shamballa sont les sites principaux où réside la hiérarchie spirituelle sur cette planète ; là, les hiérarques tiennent leurs rencontres et leurs conciles. Shamballa et quelques-uns des endroits mentionnés servent de centre permanent pour le gouvernement spirituel sur terre. Naturellement, il y a plusieurs autres postes éthériques dans le monde.

Le système judiciaire

Le réseau Agatha est responsable de notre sécurité sous terre. Nous assistons à d'importants colloques portant sur nos lois durant lesquels celles-ci sont examinées à la lueur du Code éthique divin destiné à la Terre. Notre « gouvernement » est autogéré ; il se fonde sur l'équité et l'égalité de toute vie, qu'elle se trouve à la surface ou au-dessous. Chaque cas est étudié individuellement en fonction des circonstances qui l'entourent et jugé d'après la lumière de Dieu et son code éthique ; ainsi, les parties impliquées bénéficient d'une justice impartiale visant le bien de tous.

Notre système judiciaire est vieux de millions d'années ; il s'inspire des préceptes lémuriens en vigueur lorsque nous vivions à la surface, dans des habitations et des communautés semblables aux vôtres. Nous avons importé ce type de démocratie quand nous sommes passés sous terre, il y a 12 000 ans. Nous disposons d'un savoir immense, car notre espérance de vie est pratiquement interminable. Certains parmi nous ont 20 000 ou 30 000 ans et se souviennent de tout ce qui était quand ils vivaient à la surface. Ces âmes sont de véritables sages, car elles accèdent consciemment à l'ensemble de la connaissance accumulée depuis cette époque. C'est ainsi que nous préservons la pureté de nos lois, car nous les basons sur la Norme divine de naguère. À cette époque, nous avions atteint des sommets d'évolution.

Heureusement pour nous, nous avons pu poursuivre notre évolution sans entraves à l'intérieur du globe, en toute paix et prospérité. C'est pourquoi, au fil des ans, notre développement a été florissant. Très bientôt, vous aussi serez en mesure de goûter une existence paisible et fortunée, telle qu'elle est censée l'être. Et vous pourrez alors acquérir force et sagesse, et avancer vers l'état divin qui est votre nature véritable.

Pour qu'elles progressent, toutes les formes de vie ont besoin de paix. Sans cette paix, les espèces doivent lutter pour leur survie et n'ont jamais l'occasion de pousser plus loin la force et la sagesse qu'elles ont acquises. C'est pourquoi la paix constitue un facteur impératif permettant une évolution qui, à son tour, deviendra un élément décisif déterminant la continuité de l'espèce.

Notre existence physique

Nous vous ressemblons trait pour trait, bien que nous soyons plus grands et plus larges que vous. Nous sommes costauds et vigoureux, car notre régime alimentaire est strictement végétarien. Ce type d'alimentation s'est avéré apte à ralentir le processus de déclin physique à un point tel que nous ne vieillissons plus. Par notre alimentation et le contrôle de notre esprit, notre jeunesse est à jamais préservée ; c'est ce que nous appelons « immortalité ».

Et, dans un futur proche, vous aussi en serez capables, car dès notre venue parmi vous, nous vous apporterons la connaissance que nous avons préservée depuis des éons. Celle-ci est toujours intacte et en sûreté à Telos, dans des réceptacles et des pièces assurant sa bonne garde. Ces caches spéciales seront révélées au moment de notre émergence.

Sachez que nous avons tous donné notre assentiment à ce plan avant notre incarnation sur terre ; il est temps de le mettre à exécution. C'est le moment que nous avions tant attendu chez nous, ici-bas, et chez vous, là-haut. Car nous œuvrons à l'unisson ; chaque nuit, nous nous retrouvons dans les plans intérieurs. C'est ce qui explique que vous lisiez ces lignes sans vous étonner et que vous acceptiez l'information contenue ici en anticipant ce qui vient.

De colossales vagues d'énergie s'apprêtent à vous submerger. Tenez bon et soyez assurés que ces énergies, porteuses des prodiges de l'univers à votre intention, provoqueront notre apparition à la surface.

Au cœur de votre esprit, une fontaine de jouvence

Pendant des milliers d'années, j'ai moi aussi vécu à la surface. À l'heure actuelle, je suis déjà vieux de plusieurs siècles, mais en dépit de mon âge, je suis en pleine forme. En réalité, plus je vieillis, plus ma santé s'améliore. Mon corps est athlétique et je fais de l'exercice tous les jours.

À Telos, nous sommes tous très fiers de notre excellente forme physique. Nos citoyens sont en santé, vigoureux et se livrent quotidiennement à l'exercice, tout comme plusieurs d'entre vous.

Vous remarquerez que l'accumulation des années (le vieillissement) ne fera que vous rendre plus sages et plus forts – et non le contraire. Avancez donc en âge avec dignité et grâce tout en préservant vos aptitudes, votre agilité et vos forces physiques. Vous constaterez que plus vous êtes actifs, plus vous accomplissez diverses choses. Ne laissez pas l'âge vous restreindre. Vous êtes des êtres illimités.

Nous en sommes toujours à découvrir la mesure de notre infinitude. En ce qui concerne notre organisme physique, nous franchissons sans cesse les frontières de l'inconnu. Nous poursuivons nos expérimentations avec nos corps ; ceux-ci sont capables de maintes prouesses. Nous sommes constamment surpris de découvrir notre dynamisme, notre force intérieure et nous nous poussons jusqu'aux limites extrêmes de ce que nous « croyons » pouvoir faire.

Il en sera de même pour vous. Vous pourrez également explorer les limites ultimes de votre organisme en refusant d'accepter toute contrainte liée à votre force physique. Car nos corps ont été conçus pour réaliser des exploits herculéens et jouir d'une santé et d'une stabilité immuables. Considérez donc les vôtres comme des « formes magiques » ayant la possibilité d'accomplir tout ce que vous désirez sans douleur ni limites. Nous le savons tous ; c'est à votre tour maintenant d'apprendre comment mettre à profit le plein potentiel physique dont vous êtes doués.

La fontaine de Jouvence est bien réelle : elle jaillit de votre propre esprit. Quant à moi, j'ai l'apparence d'un adolescent malgré le fait que, selon vos normes, je suis pratiquement un fossile antédiluvien ! Quelle joyeuse surprise sera la vôtre lorsque vous découvrirez combien il est facile de préserver une apparence juvénile.

Nous sommes tous des artisans de la lumière

Par un système d'ordinateurs très sophistiqués, nous arrivons à percevoir la « lumière » de chacun des humains sur l'ensemble de la planète. Ceci nous permet de suivre les artisans de la lumière à la trace.

Vous êtes tous lumineux, tout comme nous. Cela signifie que nos corps sont de nature électrique et qu'ils réagissent comme les piles d'une lampe électrique. Quand notre taux vibratoire atteint une certaine fréquence, il allume les particules lumineuses, ou photons, et attise la lumière de nos corps.

Il s'agit d'un simple principe chimique qui est à l'œuvre partout. Une fois qu'une certaine vélocité, ou longueur d'ondes, est atteinte, chacun s'embrase, tel un soleil vivant. Et c'est avec cette lumière que nous nous connectons ; ou plutôt, c'est elle qui se relie à nous. Nos écrans sont toujours ouverts, prêts à recevoir votre fréquence lumineuse ; quand une connexion s'établit, vous décelez notre conscience qui se mêle à la vôtre. Tournez vos pensées vers nous, et nous ferons de même rayonnant ensemble dans une kermesse flamboyante.

Prenez le temps de vous arrêter et de méditer à la maison ; concentrez-vous sur la lumière qui inonde votre forme. Vous êtes tous des êtres lumineux venus accomplir une grande mission.

Il est tout à fait vrai que notre cité est merveilleusement belle ; c'est un lieu qui nourrit l'inspiration. Plusieurs d'entre nous sommes ici depuis fort longtemps ; en vérité, depuis des milliers d'années. Comme nos vies sont bien remplies, florissantes, nous avons décidé de prolonger notre existence dans la même forme physique depuis toutes ces années. Nos âmes sont immortelles, et nous habitons notre corps aussi longtemps qu'il nous plaît de le faire.

Sous peu, vous jouirez également de cette faculté et serez aptes à déterminer la durée de votre vie. Voilà en quoi consiste l'ascension : *décider soi-même du temps qu'on occupe un corps avant de passer à un autre état*. Ne doutez donc pas qu'une époque glorieuse attend l'humanité entière lorsque vous prendrez l'habitude de l'immortalité, conscients de pouvoir vivre à jamais.

Chez nous, dans notre cité souterraine, nous maîtrisons ce principe, et c'est pourquoi nous nous sommes adaptés à l'existence somptueuse d'êtres immortels libres d'expérimenter avec la forme humaine.

Les réserves d'eau

Le majestueux océan Atlantique porte la force vitale des océans intérieurs jusqu'à vos rivages. En aspirant cette force, vous alimentez votre corps et la Terre d'énergie. Il s'agit de la grande force de vie ; ses vagues régalent inlassablement vos littoraux.

À Telos, nous nous abreuvons à la même énergie des océans de la Terre creuse, énergie qui circule au travers de la Terre et dans nos rivières, nos lacs et nos grottes. Nous maîtrisons cette puissance et l'utilisons pour opérer nos appareils et alimenter l'atmosphère sous terre. Toute notre technologie fait appel à des principes naturels et ne produit aucun résidu ni aucune pollution. C'est pourquoi notre atmosphère est toujours parfaitement claire et respirable. Les filtres à air, comme ceux que vous employez, sont superflus chez nous. Des conduits nous fournissaient autrefois de l'air de la surface, mais comme celui-ci était de plus en plus pollué, ce système fut abandonné. Nous fabriquons donc notre propre atmosphère, complètement pure, sans désormais avoir recours à ces conduits.

Nous allons au centre de la Terre pour profiter de ses océans et de ses montagnes. En empruntant les tunnels, cela ne représente qu'un petit voyage d'une heure. Le milieu de la Terre est une zone franche où s'assemblent divers types d'êtres. Paradis luxueux et serein, c'est l'une de nos destinations vacances préférées. Je m'y rends souvent pour affaires, afin de participer aux assemblées du Grand concile portant sur le bien-être de la planète.

Nous disposons de vastes réservoirs d'eau provenant de lacs souterrains et canalisons le précieux liquide vers des points de notre choix. Notre ville regorge d'étendues d'eau de toutes sortes : de petits lacs et des étangs d'eau fraîche parsèment le paysage. Des cascades permettent la libre circulation de l'air.

Sachez qu'ici, les barrages sont tout à fait inutiles. Nous employons l'eau telle qu'elle nous parvient, un dispositif de contrôle ayant déjà ajusté son flot à nos besoins. La quantité varie selon la région et l'emploi que les gens en font.

Notre technologie

Sachez aussi que Telos est tout près de vous. Nous ne sommes qu'à environ deux kilomètres sous la surface. La Terre est fortement conductible, et par télépathie, vos pensées peuvent aisément percer la croûte terrestre pour nous atteindre chaque fois que vous souhaitez communiquer avec nous.

Avez-vous remarqué les schémas climatiques désordonnés à la surface ? Par exemple, le soleil brille dans un ciel bleu sans nuages un jour, et le lendemain, la tempête souffle, il fait froid et c'est venteux. Ces bouleversements climatiques sont dus au fait que la Terre est en train de passer à une dimension supérieure de vie. À mesure qu'elle se transforme, elle tremble et c'est ce frémissement que vous percevez. Dans les cités souterraines, nous ne souffrons pas de ces changements et de cette agitation erratique, car la structure technologique de notre environnement nous protège. Nos habitations et nos villes sont délibérément construites pour braver les mouvements de la Terre à mesure que sa conscience s'élève. Comparativement à la technologie de la surface, la nôtre est très avancée ; nous bénéficions de dispositifs spéciaux qui alignent nos demeures et nos édifices parfaitement sur les grilles magnétiques du globe de manière à les stabiliser et nous prémunir contre les tremblements de terre. S'il n'en était pas ainsi, nos villes se seraient effondrées depuis des siècles.

Vous aussi bénéficierez de cette technologie écologique quand nous émergerons. Nous partagerons nos techniques avec vous afin de stabiliser vos constructions.

Nous disposons également d'une technologie apte à purifier les océans extérieurs et à nettoyer la pollution de l'air. Toutes ces techniques, nous les emporterons avec nous dès notre venue à la surface. Tout n'est pas perdu. La

Terre sera sauvée ; elle sera de nouveau favorable à la vie. Mais à l'époque dont je parle, toute vie sur terre reposera dans un état de conscience de beaucoup supérieur et dans une dimension lumineuse plus avancée.

Soyez assurés aussi qu'une de nos premières missions sera d'extraire les mines enfouies partout à la surface de cette planète. Celles-ci ont été disséminées par des nations en guerre qui n'ont fait preuve d'aucune considération à l'égard de l'humanité.

Le moins que l'on puisse dire, c'est que la race humaine s'est assoupie et que dans sa léthargie, elle a permis que des despotes s'emparent du pouvoir et la contraignent à une existence accablée par l'indigence et la terreur. Nous, des cités souterraines, connaissons l'emplacement de ces engins ; quand nous émergerons, nous déminerons la surface de ces armes funestes. Ce travail sera effectué en collaboration avec les Cétacéens, qui seront aussi chargés de diriger les recherches qu'entreprendra la Confédération pour découvrir les mines dans les océans. Il s'agit donc d'un plan à deux phases visant à l'extraction complète de ces armes.

Nos habitations sont de forme circulaire

Nos habitations ressemblent aux vôtres, bien qu'elles soient de forme circulaire ; le matériau employé est une sorte de pierre chatoyante semblable au cristal qui nous permet de voir depuis tous les angles et dans toutes les directions. Ces édifices sont façonnés avec une substance qui n'est pas transparente de l'extérieur ; notre vie privée est donc protégée en tout temps. C'est d'une importance capitale pour nous, qui sommes des êtres tout aussi discrets que vous. En dépit de notre tempérament réservé, nous adorons nous retrouver entre amis et fêter, ou nous rendre mutuellement visite comme vous le faites.

Les cristaux nous servent à naviguer à l'intérieur du globe terrestre

Bien que ce sujet sera discuté plus en profondeur par Mikos, j'aimerais simplement dire à ce moment-ci que nous sommes doués de ce que vous appelleriez un paravent protecteur. Notre atmosphère est protégée par la lumière de nos pensées, qui sont continuellement en harmonie avec Dieu et avec la Terre. Mentalement, nous nous entourons d'une couche défensive qui tempère les éléments et nous procure un climat idéal.

Pour naviguer à l'intérieur du globe terrestre, nous avons recours aux cristaux, qui servent à nombre d'usages. Ils nous dirigent, nous guident, et harmonisent nos besoins vitaux.

Le reflet des cristaux et de nos pensées pare d'un éclat chatoyant le firmament qui surplombe notre monde. Ni les nuages ni la pluie ne viennent jamais l'assombrir. Une eau pure et intacte jaillit ici en abondance, comblant tous nos besoins ; chaque jour, nous remercions la Terre de nous offrir une telle opulence. Et chaque jour, nous accomplissons nos tâches en étant remplis d'amour et de gratitude pour tout ce que nous recevons.

Sur terre, sécheresse, rafales de vent, bouleversements climatiques font partie de votre lot en raison des ravages causés à votre environnement et de vos formes-pensées. Cet état de fait s'achève toutefois, car sous peu les énergies qui infiltrent votre monde contreront toute cette négativité afin que vous puissiez enfin goûter l'amour et la lumière que vous méritez tous. Lorsque votre Soi divin émergera en la lumière, tout sera enfin harmonisé.

Ces transformations s'accélèrent ; elles atteignent un crescendo qui vous projettera tous dans la cinquième dimension.

Je suis Adama.

CHAPITRE CINQ

L'ÉMERGENCE – MISE À JOUR DE JUIN 2002

Adama, par Aurelia Louise Jones

Plusieurs d'entre vous savent déjà que nous planifions d'émerger à la surface en grand nombre d'ici à quelques petites années, dès qu'assez de gens parmi vous seront disposés à nous recevoir et à entendre nos enseignements. Il nous fera alors plaisir de vous retrouver face à face et de partager avec vous l'ensemble de notre savoir.

Nous vous dévoilerons la manière de créer, à l'endroit même où vous vous trouvez, une vie magique, un paradis pour vous-mêmes et les êtres qui vous sont chers. Nous vous convions à faire connaître partout notre présence à l'intérieur du mont Shasta. Prêtez main-forte à notre émergence à la surface, et je vous promets que vous ne le regretterez pas.

Nous constatons que plusieurs aimeraient connaître la date et l'heure précises de cet événement, et que quelques-uns montrent même un peu d'impatience. Comprenez bien que notre venue ne dépend point de nous ; en ce qui nous concerne, nous sommes prêts. Ce sont les gens de la surface – le collectif – qui ne sont pas encore mûrs pour nous recevoir. Apparaître avant qu'un nombre suffisant d'entre vous soit en mesure de nous accueillir serait contraire à notre objectif et nous ferait régresser.

Qu'est-ce qui pavera la voie à notre émergence ?

En premier lieu, celle-ci dépend du quotient d'amour et de lumière de la population de la surface. Nous surveillons étroitement le degré de compassion et d'ouverture du cœur du collectif. À l'heure actuelle, il est d'environ 60 %. Pour que nous puissions venir, il faudra qu'il monte à 90 %.

Vous voilà engagés dans la grande aventure de l'ascension. Ceux qui pourront demeurer sur la planète pour les années à venir seront ceux-là mêmes qui auront choisi de réaliser, de manifester leur état christique et leur nature divine. Les événements, tant à l'échelle individuelle que planétaire, vous serviront de mentors afin d'arriver à cette transformation. Après plusieurs millions d'années d'évolution, votre Terre-mère bien-aimée a choisi d'aller plus avant et d'emmener avec elle ceux qui optent pour la même voie. Au cours des âges, elle vous a consenti une liberté totale : vous étiez libres de manifester vos expériences à votre guise. Néanmoins, ce libre arbitre fut la source de grandes souffrances pour l'humanité, car vous avez fait mauvais usage de ce privilège. Pour la même raison, le corps de la Terre a été victime d'une terrible maltraitance. Aujourd'hui, c'est à elle que revient la décision de l'ascension et de n'accueillir dorénavant que des civilisations évoluées.

Après ce choix, le Créateur a accordé à la Terre une importante allocation d'amour et de lumière. Comme jamais auparavant, votre planète est inondée d'énergies nouvelles. L'intensité, la vélocité et la fréquence de ces énergies s'accroissent de jour en jour. En 2002 et au début 2003, sept portails majeurs s'ouvriront depuis la source créatrice. D'ici à 2012, et par la suite, ils métamorphoseront complètement votre planète. Chacun de ces portails comporte un certain nombre de sous-portails et d'accès que tous, vous devrez franchir pour passer à l'étape subséquente.

En 2012, peut-être même un peu avant, les initiés, ceux qui auront décidé de suivre le mouvement, seront élevés vers une réalité à cinq dimensions, en un monde enchanté, paradisiaque. Votre planète sera alors transfigurée du tout au tout ; elle sera méconnaissable par rapport aux normes actuelles.

L'intensité de la lumière divine qui s'accroît de jour en jour permettra cette colossale métamorphose, qui assurera votre participation à cette éblouissante aventure, la plus prodigieuse de toutes les existences que vous ayez jamais vécues jusqu'ici. Bref, il vous faudra réaliser votre état christique ou quitter cette planète. Pour ce faire, vous bénéficierez de renforts comme jamais auparavant.

Voilà aussi ce que la seconde venue implique. Toutes les formes de vie sur terre retrouveront la perfection originelle qui était la leur à l'aube de la création. Le choix vous appartient entièrement : *vous pouvez suivre le courant général ou alors, continuer d'évoluer dans une autre réalité*. Il existe d'autres planètes où les gens vivent encore séparés de Dieu et où l'on se livre à la violence. Plusieurs alternatives inédites s'offriront aux âmes qui décideront de rester derrière. Qu'est-ce que tout cela a à voir avec notre émergence ? Chers frères et sœurs, tout autant que vous, nous avons hâte de vous revoir. Mais nous ne reviendrons à la surface que lorsqu'une majorité de gens sur cette planète auront adopté l'amour et la compassion envers toutes les formes de vie et tous les règnes naturels, et lorsqu'ils auront cessé de leur nuire. Notre venue exigera également que 20 à 30 % de la population soit consciente de notre émergence et l'accepte bien.

Avec les événements qui se préparent et qui toucheront chacun de vous, nous pensons que vers 2005 ou peu après, suffisamment de changements positifs se seront probablement produits dans le cœur de l'humanité et sur la scène politique pour que nous puissions enfin faire surface et vous soutenir, ainsi que votre Terre-mère, dans le reste de votre parcours sur la voie de l'ascension.

En définitive, si vous voulez connaître le moment précis de notre émergence, demandez-vous si vous avez réalisé votre nature divine. Bien-aimés, quand le collectif sera-t-il prêt à nous recevoir ? Il n'en tient qu'à vous de faire votre part et de vous préparer à l'expérience phénoménale que sera notre avènement parmi vous.

Notre émergence aura lieu en un processus graduel. Nous avons un plan préliminaire à cet événement. Tout d'abord, nous établirons un contact avec ceux qui connaissent déjà notre existence et qui souhaitent nous accueillir de tout leur cœur. C'est ainsi que nous agirons partout sur terre où se trouvent des adeptes prêts à nous recevoir. Nous n'émergerons pas uniquement en un seul endroit.

Le mont Shasta sera l'un des points de préémergence, car plusieurs sympathisants attendent notre venue dans une petite ville ; mais il y aura également d'autres points d'émergence. Préalablement, nous comptons rencontrer quelques personnes ici et là qui devront préparer les autres. Quand ces dernières seront prêtes, nous ferons également leur rencontre. Au moment de notre avènement, nous prévoyons qu'un grand pourcentage de gens sur cette planète sera disposé à nous recevoir. Nous supposons aussi que ce pourcentage augmentera si rapidement qu'environ un an après la préémergence, le reste de notre population sera bienvenue à la surface. Il n'est pas dans notre intention d'imposer des dogmes ou une quelconque idéologie à qui que ce soit. Nous venons en tant qu'amis et frères pour vous prêter main-forte, pour partager nos connaissances et nos dons avec ceux qui seront ouverts à nous. Notre apparition à la surface suscitera de remarquables retrouvailles empreintes de tendresse, des retrouvailles telles que nul d'entre vous n'en a jamais connu au cours de toutes ses existences. Ce sera comme de retrouver de vieux amis ou des membres de votre famille perdus depuis trop longtemps.

Avec nos bénédictions, vous restez près de notre cœur.

Je suis Adama.

CHAPITRE SIX

CODES D'ENTRÉE À TELOS

Adama, par Aurelia Louise Jones

Nous sentons à quel point ceux qui connaissent désormais notre existence sous le mont Shasta désirent venir à Telos pour nous rencontrer face à face ; et à quel point vous souhaitez découvrir les merveilles, la magie d'une civilisation illuminée. Nous ressentons aussi combien vous aspirez à vous reconnecter avec les membres de votre ancienne famille qui vivent aujourd'hui à Telos ou ailleurs en Nouvelle Lémurie.

Intérieurement, nous entendons vos supplications : « Quand pourrons-nous vous rendre visite à Telos ? » ou « Quand les portes de Telos s'ouvriront-elles aux habitants de la surface ? ».

Bien-aimés, votre longue attente est presque terminée. Nous prévoyons que d'ici environ cinq ans, nous commencerons à inviter chez nous de petits groupes d'habitants de la surface. Nous aimerions que vous fassiez l'expérience de ce qui peut être accompli sur votre territoire lorsque la majorité de sa population adoptera notre mode de vie. Vous verrez enfin combien la vie sur cette planète peut être merveilleuse si elle est vécue en accord avec les principes divins et dans une sincère fraternité.

Il est important que vous sachiez que ces visites seront d'abord possibles sur invitation seulement. Ne vous souciez pas de savoir quelle forme elles prendront ; lorsque votre nom apparaîtra sur la liste, nous trouverons le moyen de vous convoquer, peu importe où vous serez. Parce que nous vivons dans une conscience de la cinquième dimension et dans une perfection du même ordre, tout en préservant un certain degré de matérialité, nous avons un code d'entrée plutôt strict auquel tous nos convives devront se conformer.

Soyez certains qu'aucune invitation personnelle ne vous sera adressée jusqu'à ce que vous vous pliiez à ces exigences.

Le présent message n'a pas pour but d'entrer dans les détails de ces exigences, mais voici cependant un aperçu général.

En premier lieu, seuls ceux qui auront atteint un niveau de conscience s'approchant de la cinquième dimension seront admis. Ceci signifie qu'il leur faudra éprouver un amour inconditionnel pour le Soi, pour autrui, pour toutes les formes de vie et les trois règnes de la nature. La conscience dualiste devra avoir été unifiée à 90 %. Dans chaque domaine de votre existence, il vous faudra adopter une attitude parfaitement inoffensive – c'est-à-dire dépouillée de toute nuisance envers un autre être vivant. Je vous laisse le soin de sonder votre âme afin de saisir le sens de mes paroles. La tâche vous revient, chers amis. Elle vous conduira à la découverte de votre Soi, des prodiges de votre identité véritable qui vous ont échappé depuis si longtemps.

En deuxième lieu, vous devrez évacuer de votre corps émotif toute négativité, passée et présente, et l'en guérir. Il vous faudra donc accepter toutes les annales contenant souffrance, colère, chagrin, culpabilité, peine, traumatismes, honte, dépendances, désespoir, manque d'estime de soi, empreintes négatives, etc. Évacuez-les de votre subconscient, de votre plexus solaire et de votre corps émotif. Sinon, la fréquence vibratoire élevée de Telos serait susceptible de multiplier par mille la force de toute émotion ou forme-pensée d'une qualité inférieure à l'amour divin. En somme, à défaut d'avoir purifié ces annales, toute amplification des sentiments et des pensées pourrait s'avérer fort traumatisante ; vous ne pourriez demeurer au sein de notre vibration plus de quelques minutes.

En troisième lieu, seuls ceux qui auront complété leur septième initiation spirituelle seront éligibles à l'entrée à Telos. Sur cette planète, vous pourrez faire la requête de ces initiations au siège de l'énergie christique, sous la direction des seigneurs Maitreya et Sananda (notre bien-aimé Jésus dans son ministère terrestre d'il y a deux mille ans). La plupart d'entre vous ne sont pas conscients que ces initiations se déroulent sur les plans intérieurs ; en dépit de cela, elles ont tout de même lieu grâce à la manière dont vous menez votre existence au quotidien et à l'épanouissement de votre conscience dans les divers domaines de votre vie. Vos multiples incarnations sur cette planète avaient toutes pour but de recevoir ces initiations en vue de progresser vers l'ascension et l'émancipation spirituelle ; cet accomplissement persiste pourtant à vous fuir depuis des millénaires. La septième initiation ne marque certainement pas le terme de votre évolution sur cette planète, mais nos codes d'entrée exigent que celui ou celle qui souhaite venir à Telos ait au moins atteint ce stade.

Grâce aux dispenses récentes, il est possible de parachever ces initiations plus rapidement que jamais dans l'histoire de la Terre. Ce qui prenait autrefois des millénaires à se réaliser pourra aujourd'hui s'accomplir dans les cinq années à venir.

Chacune des spécifications mentionnées ci-dessus comporte plusieurs subdivisions. Il n'est pas dans notre intention de vous amener à croire que ces objectifs sont inaccessibles et de vous laisser sans espoir. Vous pouvez tous y arriver dans les délais prévus. Sur cette planète, au cours des dernières années, plusieurs milliers de personnes ont déjà atteint ce niveau d'initiation et l'ont même surpassé. Peut-être font-elles partie des gens que vous rencontrez tous les jours, sans que leur réalisation soit forcément apparente. D'habitude, celles qui l'ont atteint et qui en sont conscientes se taisent. Et plusieurs autres rejoignent constamment leurs rangs.

Nous vous faisons part de nos exigences parce que beaucoup parmi vous nous connaissent déjà, sans toutefois être au courant des codes d'entrée à Telos. Quiconque entre dans notre sphère, peu importe son identité ou son origine, doit détenir le degré d'évolution spirituelle requis pour pénétrer une vibration de la cinquième dimension.

Si vous vous livrez activement à votre travail spirituel et que vous avancez sur la voie de l'ascension, vous vous rapprocherez alors de ces objectifs. Ouvrez votre cœur à l'amour et vous constaterez que ces visées sont beaucoup plus faciles à atteindre, beaucoup plus simples que les situations pénibles auxquelles vous avez dû faire face jusqu'ici. Du fait que ces initiations raffinent votre conscience, les portes de Telos s'ouvriront à vous, comme celles de la Nouvelle Lémurie, et vous découvrirez là des lieux enchantés, idylliques.

N'oubliez jamais que l'amour est la clé, chers amis. L'amour vous ouvrira toutes les portes. Si vous incarnez cet amour que vous êtes et vous élancez vers le plus haut degré de la voie jusqu'à la liberté spirituelle infinie, l'amour vous ouvrira toutes les portes. De l'amour vous êtes issus, et vers l'amour vous retournez maintenant.

Je suis Adama, votre frère lémurien, et je vous attends au-delà des initiations qui vous mèneront à votre état christique.

CHAPITRE SEPT

LES ENFANTS DE TELOS

Adama, par Aurelia Louise Jones

Plusieurs se demandent si les enfants des diverses cités se rencontrent ! Assurément. À l'occasion des nombreux congés et des fêtes, nous nous déplaçons souvent d'une cité souterraine à l'autre, et nos enfants nous accompagnent. Notre société est très ouverte, nous aimons nouer des liens et danser. Nous rendons souvent visite à des amis ou à de la famille dans d'autres sociétés ou cités, et ils font de même. La porte est toujours ouverte ; nul besoin d'un prétexte particulier pour se retrouver. Nous voyageons régulièrement dans les différentes villes du réseau Agartha, ainsi que dans celles de l'intérieur. Lorsque les parents entreprennent ces déplacements, peu en importe la raison – sociale, familiale ou pour affaires –, les jeunes sont les bienvenus s'ils le souhaitent. En fait, ils refusent rarement, car ils prisent particulièrement ces occasions.

L'avenir de nos enfants et des vôtres

À l'heure actuelle, aucun de nos petits a des contacts avec ceux de la surface. Nous prévoyons cependant que cet état de fait changera vers la fin de la présente décennie.

Quand nos deux civilisations s'allieront pour n'en former qu'une seule – ce qui deviendra rapidement inéluctable –, nos enfants se mêleront aux vôtres. Cette communion entre nos descendants et ceux de la surface sera minutieusement concertée : l'aventure sera exaltante pour tous.

Il est bien connu que cette planète progresse rapidement tout au long des transformations nécessaires qui lui permettront de sustenter une civilisation exclusivement illuminée. Ce qui signifie, mes amis, que d'ici peu, l'ère de ténèbres que traverse cette planète sera bientôt chose du passé. Nos deux civilisations ne feront plus qu'une – et ceci vaut également pour nos enfants – en vue de l'ascension légendaire que nous attendons depuis si longtemps. Accueillons la naissance d'un monde nouveau ! Tel le Phénix jaillissant de ses cendres, un monde tout neuf débordant d'amour et de perfection divine s'édifiera des ruines de vos anciens systèmes de valeurs contraignants, de vos structures gouvernementales désuètes, tyranniques et manipulatrices, et des concepts fallacieux qui vous conditionnent depuis des éons.

Pour illustrer le processus, songez que la Terre est un Phénix : elle s'élèvera en vous emportant avec elle. Préalablement toutefois, il vous faut renoncer à tout ce qui ne vous sert plus et être disposés à délaisser votre mode de vie périmé, qui entretient ces limitations et ces souffrances depuis si longtemps. Les cendres représentent la purification que la Terre et l'humanité entière doivent d'abord subir pendant une certaine période de temps. L'avenir est reluisant, mes amis. Gardez l'espoir, pour vous-mêmes et pour vos descendants. Un monde miraculeux attend ceux-ci, et c'est la raison de leur présence auprès de vous. Ils vous indiqueront le chemin à suivre, car en leur âme ils savent déjà ce qu'il faut faire !

Grandir à Telos

Cette section est en partie une communication d'Adama canalisée par Aurelia Louise Jones. L'autre source d'information provient de Sharula Dux, de Telos ; elle date de 1996.

À Telos, seuls les couples qui se sont unis par les liens sacrés du mariage sont autorisés à procréer. Puisque l'éducation d'un enfant y est un projet de longue haleine, les couples qui souhaitent devenir parents doivent d'abord recevoir une formation spéciale à cet effet. À la surface, pour conduire une voiture, chaque personne doit d'abord suivre un cours de conduite ; par contre, vous permettez à n'importe quel adolescent de seize ans ignorant, perturbé et irresponsable, sans préparation aucune ni expérience de la vie, d'accéder librement à cette responsabilité capitale qui consiste à introduire une vie nouvelle en ce monde.

Les enfants qui naissent chez nous passent deux ans sous la supervision constante de leurs deux parents. Ce passage est absolument nécessaire pour que chaque enfant se structure bien psychologiquement. Le père s'absente de ses devoirs civiques pendant les deux premières années de la vie de son nourrisson, de façon que celui-ci passe un temps égal avec les représentants terrestres du Dieu Père/Mère. Puisque le gouvernement subvient à tous les besoins vitaux, le Temple s'assure que tous les parents se plient à cette exigence.

Peu après la naissance d'un nouveau-né, dix parrains et marraines lui sont attribués. C'est là une prérogative tout à fait avantageuse. Dans notre cité, l'enfant ne manquera donc jamais d'attention, puisque vingt figures parentales le guideront au fil de ses premières années. D'habitude, les parrains et marraines choisis sont eux-mêmes parents d'un nouveau-né. C'est pourquoi même les enfants uniques ont des frères et des sœurs de substitution avec qui jouer et échanger. À mesure que l'enfant grandit, il passe du temps – un jour ou deux ici et là – auprès de ses parrains et marraines. Cette coutume lui insuffle la conviction subconsciente que Dieu Père/Mère sera toujours présent auprès de lui, puisqu'il aura reçu beaucoup d'amour de plusieurs de sources différentes. Les jeunes apprennent très tôt qu'ils seront toujours chéris sans condition, que l'on s'occupera d'eux et que l'on pourvoira à leurs besoins.

L'école commence à trois ans, et l'instruction de base se poursuit jusqu'à l'âge de dix-huit ans. De trois à cinq ans, les enfants apprennent, cinq demi-journées par semaine, les aptitudes sociales de base et développent des habiletés artistiques dans un cadre récréatif. Les notions fondamentales telles que les couleurs et les chiffres sont assimilées grâce à des jeux divertissants. À partir de cinq ans, les bambins vont à l'école toute la journée, comme ceux de la surface.

Puisque Telos est une civilisation lémurienne, nos institutions enseignent, il va sans dire, cette langue. Elle dérive de la langue universelle de notre galaxie, le Solara Maru. Certaines langues planétaires originelles, telles que le sanskrit, l'hébreu et l'égyptien, découlent également du Solara Maru. L'anglais n'est pas obligatoire à l'école, on l'enseigne comme langue seconde. Naturellement, nous souhaitons ardemment que notre peuple l'apprenne, et une majorité y arrive, car Telos se situe sous un continent anglophone. D'ailleurs, les enfants prennent grand plaisir à écouter certaines émissions de radio et de télévision de la surface qui auront été, auparavant, supervisées par nous.

Tous les élèves ont, sur leur pupitre, un ordinateur qui les relie à l'intelligence centrale. Notre système informatique utilise les acides aminés, une dynamique vivante ; de ce fait, il est alimenté par les annales akashiques et les éléments supérieurs des directives du Christ, et ne peut être corrompu. En conséquence, nos ordinateurs contiennent un savoir historique précis et véridique. Ils sont exempts de données faussées par des conquérants partiaux ou des historiens ignares et ne présentent que les faits véritables !

Les enseignants des écoles de Telos sont tous prêtres et prêtresses formés à la tradition de Melchizedek. Cette spécialisation permet aux enfants de s'initier en très bas âge aux instruments simples du temple, comme la projection astrale.

Quand les jeunes de Telos atteignent l'âge de se mettre les pieds dans les plats, vers douze ans, et qu'ils préfèrent la compagnie de leurs pairs, ils entrent dans ce que l'on nomme le « groupe ». Il s'agit d'une sororité/fraternité d'enfants du même âge regroupant habituellement de dix à douze jeunes qui découvriront ensemble les prodiges de la puberté et de l'adolescence. Ce « groupe », formé d'un nombre égal de garçons et de filles, tissera des liens qui perdureront jusqu'à l'âge adulte, et bien après. Un prêtre et une prêtresse de Melchizedek appartenant au Temple seront choisis en vue de guider les jeunes gens au travers des différents stades de la croissance ; ils tiendront un rôle très proche de celui de tuteur auprès des adolescents.

Le processus scolaire se poursuivra, intégré à l'évolution du groupe et à l'épanouissement conjoint de ses membres.

Ceux-ci affrontent ensemble tous les problèmes inhérents à l'adolescence et partagent, expérimentent, discutent et mûrissent par l'expérience commune des difficultés traversées. Le groupe s'avère particulièrement efficace pour contrer l'attitude classique de l'adolescent : le ressentiment. Il favorise la participation de chacun et fournit un exutoire créatif à ce comportement. Les jeunes restent généralement amis pour la vie ; très proches, ils partageront les grands moments de leur existence.

À l'âge de dix-huit ans, lorsqu'ils ont terminé leur instruction de base, les jeunes adultes choisissent la direction qu'ils souhaitent donner aux prochaines années de leur vie. La possibilité d'études supérieures dans un domaine qui les intéresse est offerte à chacun. De vastes encyclopédies élaborées par des civilisations avancées et archaïques sont conservées sous forme de cristaux servant à la préservation d'annales dans les bibliothèques de Telos. Rarement, un adolescent choisira d'entrer directement au Temple de Melchizedek comme novice.

Les jeunes diplômés peuvent également se joindre directement à la Flotte d'argent (l'armada télosienne de vaisseaux spatiaux). Puisque toutes les cités souterraines sont membres actifs de la Confédération, il est du devoir de chaque citoyen vivant à Telos de servir au moins six mois dans la Flotte d'argent. Il existe des dizaines d'armadas desservant ce secteur de la galaxie. Dans notre système solaire, les trois qui prédominent sont la Flotte d'argent, la Flotte améthyste et la Marine arc-en-ciel. La Flotte d'argent, pour sa part, se compose presque exclusivement de Terriens. Règle générale, ils proviennent surtout de Telos et de Posid (la cité atlante située sous le Matto Grosso au Brésil).

La plupart des éclaireurs, plus fréquemment désignés sous l'appellation d'ovnis par les humains qui les aperçoivent dans les cieux, sont des patrouilles de la Flotte d'argent de Telos et de Posid. Plusieurs Télosiens y font carrière, alors que d'autres se contentent d'y faire leur service et bifurquent ensuite vers une profession autre.

Une autre option s'offre à eux : celle de se former pour le travail qu'ils accompliront à Telos toute leur vie. En tant que jeunes adultes, ils doivent s'intégrer à la structure globale de la société télosienne. À partir d'un certain âge, chaque citoyen se doit de contribuer à la main-d'œuvre. Cinq journées de quatre à six heures sont consacrées au travail, favorisant ainsi le bon fonctionnement de la cité. Chacun choisit l'activité dans laquelle il souhaite investir ses énergies ; ainsi nous évitons l'ennui et préservons un certain enthousiasme. Par exemple, un adolescent qui affectionne particulièrement la terre, les plantes et les fleurs peut travailler dans les jardins hydroponiques afin d'assurer à la cité une abondance de fruits et de légumes. Si une jeune fille affiche une forte prédisposition pour la danse, elle peut entrer au Temple afin d'acquérir une formation auprès des artistes du sanctuaire. D'autres carrières sont ouvertes dans le domaine des communications, du transport, de la nutrition, de la production manufacturière, des produits domestiques. À dix-huit ans, nos rejetons commencent la valse de la vie !

Je suis Adama, et nous sommes près de vous.

CHAPITRE HUIT

LA VIE ANIMALE

Adama, par Aurelia Louise Jones

À Telos, plusieurs espèces animales furent sauvées de l'extinction. Dès que nous avons appris que notre continent allait être anéanti, nous avons édifié cette cité souterraine afin de préserver nos propres vies ainsi que les annales antiques de notre civilisation ; nous avons également sélectionné quelques spécimens appartenant à chaque espèce existant à l'époque. D'une envergure plus vaste, cet épisode présageait l'histoire biblique de Noé, qui accueillit dans son arche deux membres de chaque race avant le déluge. La plupart des bêtes rescapées vivent encore et sont sous notre protection, exception faite de celles qui ont opté, en tant qu'espèce, pour un retour à leur lieu d'origine.

L'anéantissement de la Lémurie eut lieu 1 500 ans avant que l'Atlantide soit engloutie, et le nombre d'espèces sauvées alors fut bien supérieur à celui dont fait état votre histoire biblique concernant l'Atlantide. À cette époque, plusieurs races animales présentes avant la destruction de notre continent avaient déjà disparu de la surface.

Tout comme vous, les animaux s'incarnent encore et encore. Leurs incarnations sont toujours des extensions d'un tout plus vaste. Nous sommes tous – et ceci inclut les animaux – des prolongements d'un immense être de lumière, si immense et si prodigieux que le jour où vous comprendrez votre nature divine, vous serez frappés de stupeur et d'émerveillement. Le concept de multidimensionnalité réfère bien sûr à cette nature, mais le mental tridimensionnel limité arrive difficilement à l'appréhender.

Dans son amour infini et sa nature illimitée créant sans relâche, Dieu s'étend et s'accroît perpétuellement en un spectre grandissant de manifestations diversifiées. Le règne animal n'est que l'une parmi tant d'autres de ces émanations sans fin. Toutes participent de Dieu, chers amis, toutes. Si vous consentez à faire du tort à une seule de ces parcelles de vie (Dieu), vous nuisez au tout, dont vous-mêmes faites partie.

À l'intérieur de la Terre, les animaux sont doués d'une fine intelligence ; ils ne correspondent pas du tout à la conception née de votre perception ordinaire. Certains gouvernent des mondes et des planètes. Les bêtes vivent dans plusieurs dimensions. Elles possèdent une âme globale, ou Soi supérieur, tout comme les êtres humains, mais d'une nature légèrement différente, car elles sont en vérité créées pour appartenir à une dimension autre que la vôtre. De ce fait, ce sont des émanations d'un corps de conscience beaucoup plus vaste, une autre facette de la nature divine.

La conscience existe depuis les degrés les plus élevés de la divinité jusqu'au niveau le plus bas de la première dimension, le règne minéral. Toutes ces expressions participent de Dieu. Plus la dimension est élevée, plus la compréhension de l'amour sera fine et plus étendue sera la perception. Les animaux partagent votre planète parce que, à votre instar, ils ont choisi de vivre une expérience tridimensionnelle. Ils sont également venus pour servir d'assistants et d'enseignants en vue de soutenir l'humanité d'une manière que vous ne saisissez pas encore. Le fait qu'ils aient choisi un corps qui diffère du vôtre ne signifie pas pour autant qu'ils vous sont inférieurs. Et même s'ils l'étaient, rien ne justifie le traitement que l'on réserve à grand nombre d'entre eux à l'heure actuelle sur la surface de la Terre. Dans la troisième dimension, leurs formes physiques ne se situent qu'à une harmonique sous la vôtre.

Soyons clairs ici : cette différence que vous imaginez depuis si longtemps n'existe pas. Et pourtant, nombre d'humains à la surface l'ont invoquée pour justifier leur exploitation des animaux.

Cette compréhension très limitée vous a incités à les voir comme des produits utilitaires servant à des visées égoïstes ou à l'obtention d'un gain. Nous affirmons que ce n'est pas là ce qu'ils sont ni qui ils sont. La règle d'or doit s'appliquer à tous les êtres conscients, pas seulement au monde des humains. S'il vous tient à cœur de progresser sur une voie évolutive, il faudra imprégner vos paroles, vos pensées, vos sentiments et vos actions d'un amour inconditionnel envers toutes les formes de vie et tous les règnes occupant cette planète.

L'AMOUR EST L'UNIQUE CLÉ.

Il n'en existe nulle autre. Pas une seule particule de la création ne s'est manifestée sans l'amour. Voilà pourquoi, si vous souhaitez évoluer, vous ne pouvez exclure aucune d'elles de votre amour.

Dans le monde des esprits, les animaux opèrent depuis les plans à quatre et à cinq dimensions. Tous sont reliés à un corps de lumière supérieur. Les humains sont eux aussi connectés à leur propre Soi supérieur, que l'on nomme « Présence Je Suis » ; celui-ci existe dans des dimensions plus élevées et vit également dans le cœur de chacun.

Votre Soi supérieur, votre propre Soi-Dieu, est un être magnifique, puissant, rayonnant d'une prodigieuse intelligence ; il est doué d'une perfection et d'une splendeur infinies. C'est là votre identité véritable. Votre existence tridimensionnelle sur terre n'est qu'un infime reflet de cette immensité divine, votre vraie nature.

Dans la création et les domaines supérieurs, il n'y a pas de notion d'« inférieur », de « mieux », de « moins bien que », etc. Ce sont là des étiquettes qu'attribue la perception humaine limitée. En réalité, chacun est aimé d'un amour égal et considéré comme une expression de Dieu en mouvement (évolution) constante. Une différence subsiste en effet entre les animaux et vous-mêmes, mais elle ne se situe pas là où vous le croyez. Mes amis, dans les cités souterraines, les bêtes sont l'objet d'une grande considération ; pour nous, ce sont nos jeunes frères et sœurs dans l'échelle de l'évolution. Nous affichons à leur égard le respect dont nous souhaiterions nous-mêmes bénéficier.

Prenons l'exemple d'une famille de dix enfants. Diriez-vous que les plus jeunes sont inférieurs aux aînés simplement parce qu'ils ont moins d'expérience de la vie et connaissent moins de choses que les grands ? Prétendriez-vous que les cadets méritent moins d'amour et de respect parce qu'ils sont nés plus tard, et qu'il est justifiable de les maltraiter puisqu'ils ne sont pas aussi avancés que ceux qui sont nés les premiers ?

Bien sûr que non ! Vous savez parfaitement qu'ils vous auront rattrapés d'ici à quelques années. Il en va de même avec les animaux. Dans la hiérarchie, ou famille, du Dieu unique, les bêtes qui partagent notre planète sont les benjamins. Je vous crois capables de saisir l'idée que je tente de formuler ici. Tout dans la création est doué de conscience, de l'infiniment petit à l'infiniment grand. D'un point de vue ultime, tout est considéré comme égal.

Je le répète, à Telos, nous nous occupons d'un grand nombre d'espèces animales qui ont disparu de la surface de la Terre depuis fort longtemps. D'autres civilisations souterraines plus anciennes que la nôtre s'occupent également de plusieurs races éteintes depuis encore plus longtemps. Nous avons plusieurs races de chats de toutes les grosseurs, allant de quelques kilos à plusieurs centaines. Nos chevaux et nos chiens sont plus évolués que ceux de la surface ; une fois autorisés à émerger parmi vous, ils vous apporteront de grandes joies.

La plupart de nos animaux sont d'une taille supérieure aux vôtres. Par exemple, les plus grands félins ont deux fois la taille des vôtres à la surface. Il en va de même pour les chevaux, bien que beaucoup aient conservé une dimension qui vous conviendra.

Nous chérissons nos animaux ; soyez certains que nous n'en relâcherons pas un seul à la surface tant qu'il

y aura la moindre possibilité qu'on leur fasse du mal ou qu'on leur donne moins d'amour que ce qu'ils ont l'habitude de recevoir.

- Tous nos animaux sont doux ; ils n'ont jamais été exposés à la violence ou à la négativité. Il est possible de les approcher sans danger et de les caresser.
- Ils ne nous craignent aucunement. Par ailleurs, ils ne s'entretuent pas, car ils sont végétariens.
- Ils n'ont jamais été chassés ni mis en cage. On leur permet de vivre jusqu'au terme de leur existence naturelle, beaucoup plus longue que celle des bêtes de la surface.

Nous reconnaissons l'intelligence unique dont est nantie chaque espèce animale. C'est pourquoi nous n'avons jamais tenté de les assujettir à une quelconque soumission. Ces animaux dociles ne cherchent qu'à plaire. La simple communication télépathique suffit à nous assurer leur entière coopération.

Lorsque nous constatons que nos chers frères et sœurs à la surface ouvrent leur cœur et leur esprit aux animaux et qu'ils adoptent une attitude correcte à leur égard, je vous mentionne que toutes les civilisations de l'intérieur de la Terre se réjouissent du fond du cœur.

Veuillez accepter notre amour, notre lumière et notre amitié. Je suis Adama, votre frère lémurien.

CHAPITRE NEUF

LE TEMPLE DE L'UNION

Adama et Ahnahmar, par Aurelia Louise Jones

Salutations et bénédictions ! Je suis Adama, de Telos. Me voilà à nouveau en compagnie d'Ahnahmar, l'un de nos doyens vivant à Telos depuis les débuts de notre existence sous terre, il y a un peu plus de 12 000 ans. Celui-ci a vécu à la surface pendant plus de 2 000 ans avant la disparition de notre continent ; il a préservé un corps juvénile depuis environ 14 000 ans, selon votre calendrier. Grand, dynamique et beau, il paraît en fait avoir de 35 à 38 ans.

À l'époque de la Lémurie, Ahnahmar et sa flamme jumelle érigèrent un temple d'une beauté exquise qui se nomme *Temple de l'union.* Cet édifice rend hommage à l'amour et à l'union des flammes jumelles. Depuis, ils sont les gardiens planétaires de cette étincelle inassouvie d'amour immortel. Je me retire afin de permettre à Ahnahmar de poursuivre.

Bénédictions et amour à tous ceux qui liront ce message. À l'époque de la Lémurie, la plupart des hommes et des femmes partageaient leur vie avec leur bien-aimée flamme jumelle. Les mariages prenaient place dans ce temple majestueux. Les couples se paraient élégamment afin de consacrer leur « union » aux énergies de l'étincelle inassouvie d'amour immortel. Bien que celle-ci soit disparue de la surface lors de l'engloutissement de la Lémurie, elle perdure sur cette planète dans le Temple de l'union, qui s'est entièrement élevé vers une vibration de la quatrième dimension lorsque notre continent fut détruit.

Ce temple existe encore aujourd'hui près du mont Shasta, à l'endroit même où il fut érigé autrefois ; il vibre désormais à une fréquence de la cinquième dimension. Si la structure matérielle ne se trouve plus dans votre dimension et ne peut être perçue dans votre réalité, soyez toutefois certains que pour nous elle est bien tangible et réelle. Ce temple est très dynamique et perpétue à ce jour toutes les fonctions qu'on lui avait attribuées au moment de sa fondation. Ce monument est sis dans la cité cristalline de lumière qui existe sous forme éthérique près du mont Shasta ; il a un diamètre de près de soixante-cinq kilomètres. On vous a promis que cette prodigieuse cité lémurienne prendrait un jour une expression plus matérielle et que plusieurs d'entre vous pourraient la voir et y pénétrer. Quand cela se produira-t-il ? demandez-vous. Nous en ignorons encore le moment précis. Nous prévoyons que ce sera vers la fin de la présente décennie. Quand cette descente aura lieu toutefois, ce temple ainsi que toutes les merveilles de la cité de cristal seront révélés à ceux dont la vibration spirituelle correspondra à celle de la cité.

Aurelia, que vous connaissez aussi sous le nom de Louise Jones et qui était attachée à ce temple à l'époque de la Lémurie, a redécouvert son site lors d'une balade dans les environs de son domicile, près du mont Shasta. Elle a d'abord perçu qu'il s'agissait d'une région très spéciale, sans toutefois pouvoir percer son mystère. Pour des raisons qu'elle ignorait, elle se sentit poussée à revenir fréquemment dans la région afin de s'y promener et d'y méditer. Plusieurs fois par semaine, nous l'observions gravissant la colline. Nous étions toujours ravis de sa venue, surtout la première fois. Nous espérions ardemment le jour où nous pourrions communiquer avec elle directement. À l'insu de son mental extérieur, elle reçut à chaque visite un accueil chaleureux et beaucoup d'attention et d'amour de notre part.

Plusieurs millénaires s'étaient écoulés depuis que nous avions eu l'occasion de communiquer consciemment avec une personne de la surface à cet endroit. Des riverains viennent aussi se balader sur la colline de temps à autre, mais nul d'entre eux n'a la moindre conscience de ce que représente ce site. Petit à petit, nous avons donné à notre amie Aurelia des éclaircissements sur la nature de son coin préféré, cet endroit qui l'attirait si fortement. Son amour et son grand respect pour le caractère sacré de l'endroit nous ont permis de nous révéler à elle plus ouvertement et de divulguer plus à fond sa participation antérieure au Temple de l'union.

Nous avons des projets futurs pour ce site sacré ; bientôt, nous espérons pouvoir le révéler au grand public. D'ici deux ou trois ans, nous envisageons la construction d'un sanctuaire plus petit où seront célébrés des mariages et se tiendront des cours sur le développement spirituel sous notre direction. Nous savons aussi que, très bientôt, plusieurs couples seront amenés à venir consacrer leur union par les énergies de notre temple.

Aurelia y a récemment célébré un mariage (c'était le 1er novembre 2001) ; elle a alors sollicité notre présence à tous et celle du royaume de lumière. C'était la première fois, depuis l'engloutissement de la Lémurie, qu'une noce prenait place sur le plan physique à l'endroit précis où se situe notre Temple de l'union dans la cinquième dimension. L'occasion fut pour nous source de grandes réjouissances, et nous avons apporté notre concours à la cérémonie. Moi, Ahnahmar, j'ai fusionné complètement avec elle.

À l'insu de son mental externe à l'époque, elle s'était ouverte à une expérience fabuleuse. Suivant son intuition, elle suggéra ce lieu au couple de flammes jumelles qui souhaitait qu'elle consacre leur union. Cet événement réjouit profondément les Télosiens, le Concile lémurien et les êtres du royaume de lumière. Des centaines de milliers, voire des millions, d'entre nous des domaines invisibles ont littéralement assisté à ces épousailles dans leur corps éthérique. D'une certaine manière, il valait mieux qu'Aurelia ne puisse pas nous voir tous réunis, sinon l'ampleur du rassemblement l'aurait intimidée. La population entière de Telos et du royaume de lumière semblait s'être réunie, ovationnant la réactivation dans le spectre physique de l'étincelle d'amour des flammes jumelles à partir de notre temple.

Ce n'est qu'après la cérémonie que nous lui avons divulgué davantage d'informations sur la nature véritable du temple et sur la fantastique activation pour la planète qu'avait déclenchée le mariage. Elle avait suivi son cœur et son intuition, et nous constations avec amusement qu'elle nous avait fourni l'occasion de percer cette ouverture dans le plan physique. Le scénario que nous avions tant espéré se déployait en une séquence sans faille, et ce, sans qu'elle n'ait la moindre idée de ce qui se passait vraiment en parallèle à la cérémonie. L'anecdote nous fit sourire nous aussi.

Beaucoup constatent que les rapports conjugaux sont souvent catastrophiques ; ils suscitent davantage de stress et de déception que de joie et de bonheur durables, car ces relations déchirantes se fondent sur la dualité plutôt que sur l'unité de l'amour divin. À moins de reposer sur cette unité, une liaison ne pourra jamais assouvir la soif qui vous tenaille.

Consentez maintenant à ce que je vous fasse quelques remontrances. En tant que gardien de l'étincelle inassouvie d'amour, j'observe depuis un bon moment les rapports que vous entretenez à la surface. À ceux d'entre vous qui cherchent leur bien-aimé/e à l'extérieur d'eux-mêmes, laissez-moi préciser que ce n'est pas ainsi qu'ils le/la trouveront. Votre douce moitié est également partie de vous. Il ou elle possède peut-être un corps distinct dans le monde extérieur, mais il peut être un peu délicat de rencontrer cette personne si vous n'êtes pas prêts. Ce ne sera pas forcément dans votre intérêt, parce que l'expérience maritale tridimensionnelle ne comporte pas toujours cette affinité de caractère et d'esprit ; telle compatibilité n'est possible que si deux êtres ont atteint le même degré de préparation et d'évolution.

Écoutez-moi bien, chers amis. Cherchez d'abord cet autre tout spécial dans chaque cellule et chaque atome de votre cœur et de votre âme ; entamez une histoire d'amour avec lui ou elle. Cette personne est le Soi, votre contrepartie divine qui vit en vous. La relation extérieure n'est rien d'autre que le reflet de votre propre rapport au Soi divin. Quand vous apprendrez à vous apprécier dans chaque aspect de votre essence, de votre nature divine et de votre expérience humaine, et quand l'amour céleste pour le Soi régira votre cœur et votre vie, vous ne rechercherez plus ailleurs votre douce moitié. Vous saurez que vous l'avez trouvée. Peu importe la forme extérieure qu'elle prendra, votre cœur sera enfin comblé, serein.

À ce stade de votre vie spirituelle, le miroir ou reflet de cet amour absolu pour le Soi ne peut que se manifester concrètement dans votre vie. Il s'agit d'une loi cosmique infaillible. Si vous n'avez pas encore trouvé cet autre, c'est que vous n'en êtes pas là. Malgré tout, il apparaîtra dans votre vie en temps cosmique, et l'attente, s'il y en a une, sera sans importance parce que vous saurez que votre cœur est déjà uni à l'objet de vos espérances et de votre amour. Vous saurez que votre complément divin, ou flamme jumelle, tant souhaité, que cette union divine parfaite se manifestera d'une manière ou d'une autre.

Les êtres des dimensions supérieures ont déjà atteint cette perfection de l'amour divin ; s'ils ne l'avaient pas obtenue, ils se trouveraient là où vous êtes. Quand vous y accéderez vous-mêmes, vous serez alors élevés vers un domaine supérieur où vous connaîtrez l'union sublime avec l'autre, union qui persiste à vous fuir depuis si longtemps. Elle peut également se produire dans votre réalité tridimensionnelle. Une fois cet état d'amour divin parachevé en votre cœur, tout vous sera offert, même votre flamme jumelle.

Au nom de cet amour parfait, je vous suggère de vous mettre dès maintenant en quête de votre bien-aimé/e à l'intérieur même de votre Soi. Voilà la manière la plus rapide de retrouver votre flamme jumelle. Inutile de placer une petite annonce dans les journaux ou de fréquenter les bars pour célibataires. Une fois que vous aurez découvert l'âme sœur en vous, vous vous retrouverez littéralement nez à nez avec cette personne si spéciale ; il vous sera impossible de l'éviter !

Accueillez toutes vos épreuves avec l'amour divin. Je vous convie avec plaisir à vous joindre aux cours que je donne le soir dans notre temple à l'intention de ceux qui souhaitent s'unir à leur flamme jumelle. Je ne suis en aucun cas ce que vous appelez dans votre langage un « entremetteur ». Nous sommes disposés à vous aider à reconnecter avec cette merveilleuse partie du Soi que vous avez délaissée il y a si longtemps ; c'est celle-ci qui appellera dans votre vie votre bien-aimé/e, ainsi que tout ce que vous désirez. Nous ne le ferons pas à votre place, mais nous vous indiquerons comment y arriver par vous-mêmes. Nous vous enseignerons le vrai sens du mot union.

Le soir, avant de vous endormir, priez vos guides de vous emmener au Temple de l'union pour assister à nos cours. Mon équipe souterraine et moi-même vous accueillerons avec grand plaisir. Je vous promets que nous passerons ensemble un bon moment.

Grâce au voile qui s'atténue entre les dimensions, plusieurs se souviendront avec bonheur de leurs délicieuses expéditions nocturnes.

Je suis Ahnahmar.

CHAPITRE DIX

LE CORPS PHYSIQUE EST LE MIROIR DE LA CONSCIENCE

Adama, par Aurelia Louise Jones

Nous n'exerçons aucune influence sur vos pratiques médicales, vos habitudes alimentaires, le mode de vie stressé que vous avez choisi, vos bouleversements émotifs, ni d'ailleurs sur vos méthodes de guérison. Vous jouissez du libre arbitre ; nous ne pouvons que vous faire quelques suggestions quant à la manière d'améliorer vos habitudes alimentaires et votre style de vie. En ce qui concerne la santé, la guérison et le vieillissement, notre approche diffère largement de la vôtre.

Tout d'abord, les Télosiens ne connaissent aucune déficience physique ni aucune maladie quelles qu'elles soient. Nous appliquons toujours les principes divins à notre vie, dans toutes nos pensées, nos paroles ou nos actions. Selon notre idéologie, nos corps sont des appareils d'une telle perfection, d'une telle virtuosité, qu'ils sont conçus pour survivre des millénaires, exempts de tout symptôme de faiblesse, de vieillissement ou de mort. Cette idée nous paraît tout à fait naturelle, car c'est là le privilège de tous. N'importe qui peut, sans effort, rendre immortel son corps physique, et tout le monde se prévaut de cette prérogative. Nous sommes tous immortels, et personne n'a l'air d'avoir plus de 40 ans, même si certains ont 15 000 ans ou plus. Certains êtres à Telos ont 30 000 ans et en paraissent 35. Nous pouvons nous passer d'hôpitaux, de cliniques, d'infirmières, de médecins, de dentistes, d'assurance-maladie, ou de quoi que ce soit lié à ces domaines.

Nous ne consommons que des aliments doués de la vibration la plus haute et la plus pure. Ce sont des denrées biologiques parfaitement équilibrées ; elles sont riches en minéraux et gardent à nos corps leur force et leur jeunesse. Quant à la nourriture que vous-mêmes consommez, elle est à 98 % modifiée ou contaminée par des substances chimiques tels les agents de conservation, les rehausseurs de goût, les herbicides, les pesticides, une pasteurisation excessive, etc. Nous sommes d'avis qu'à peu près tout ce que vous absorbez est le produit d'une agriculture médiocre, très artificielle et complètement dénuée de force vitale. Les aliments qui se retrouvent dans votre assiette sont déjà défraîchis, dénaturés, complètement carencés en éléments nutritifs ; ils possèdent très peu de force vitale sinon pas du tout. Vos aliments et vos habitudes alimentaires ne sont aucunement aptes à vous donner un corps en santé et empreint d'un caractère immortel. Lisez un peu la liste des ingrédients sur les étiquettes des produits que vous consommez ; vous constaterez alors à quel point votre nourriture est dénaturée et synthétique. Par principe, s'ils contiennent des ingrédients dont le nom est illisible, imprononçable ou incompréhensible, évitez de les acheter.

Nous surveillons d'ici comment la population de la surface alimente son corps et son âme au quotidien : il est stupéfiant de constater que, malgré tout, vous vous portez relativement bien physiquement. La création de vos corps physiques est un miracle ; ne tenez donc pas ceux-ci pour acquis. Les maladies ou « mal-aises » qui vous affligent sur le plan physiologique ne sont rien d'autre que les reflets de votre mode de vie et de votre conscience. Si nous adoptions vos habitudes alimentaires et votre mode de vie, ils nous seraient sérieusement délétères ; malheureusement, il en va de même pour vous à la surface. Il n'est pas surprenant que votre organisme se mette à vieillir peu après 30 ans, et qu'à l'âge de 60 ans ou même avant, la plupart d'entre vous soient déjà aux prises avec de nombreux problèmes de santé, impatients de prendre leur retraite ou de toucher leur pension de vieillesse. Règle générale, l'espérance de vie à la surface ne dépasse pas 90 ans. Vous avez une constitution faible dès la naissance en raison de l'alimentation médiocre et du mode de vie stressant que vous avez adoptés depuis des générations. Votre corps ne reçoit donc que peu de la nourriture qui le sustenterait harmonieusement comme la nôtre.

Vos prétendues « découvertes dans le domaine médical » n'ont nul besoin de l'apport de scientifiques ou de laboratoires. Ce qu'il vous faut, c'est une prise de conscience et une appréciation profonde à l'égard de votre forme physique. Négligeriez-vous ce que vous appréciez et chérissez le plus, ou vous en priveriez-vous ? Pourquoi ne pas aimer votre corps et lui donner ce dont il a réellement besoin, plutôt que de chercher ailleurs des solutions de facilité qui arrangent les choses au mieux temporairement ? Il n'existe pas de véritable traitement ni de guérison à l'extérieur de vous. Et ce traitement, ou cette guérison, débute par votre niveau de conscience et votre philosophie de la vie, et ce que vous en faites.

Quant à la manière de nourrir et de prendre soin de votre corps, vous êtes en mesure d'aller vers vos propres découvertes. Remarquez que j'emploie l'expression « prendre soin ». Effectivement, votre organisme nécessite beaucoup plus de soins et d'amour que ce que vous lui accordez présentement. Retrouvez la nature, chers amis, elle ne vous décevra pas. Votre charge émotive influe aussi fortement sur votre état de santé. Le manque d'exercice, l'absence d'air pur, le degré de toxicité de l'environnement, le stress intense, tous ces facteurs auxquels vous vous exposez au travail contribuent à l'effondrement de votre organisme. Des milliers de personnes dans le monde travaillent dans des édifices hermétiques, respirant de l'air recyclé jour après jour, pendant que leur pauvre carcasse est installée devant un ordinateur ou un bureau, téléphone en main. De retour à la maison, elles sont trop fatiguées pour faire de l'exercice ou cuisiner un « vrai » repas. Trop souvent, elles se rabattent alors sur des aliments précuisinés.

Songez aussi aux liquides que vous absorbez. Presque exclusivement, l'eau que vous buvez est contaminée par des substances nocives, tels le chlore, le fluor ou des décontaminants chimiques. Vos sources d'eau passent pratiquement à 95 % par des tuyaux et sont empoisonnées, d'une manière ou d'une autre. Vérifiez d'où provient votre eau et les traitements qu'elle a subis afin de la rendre potable et sans danger. Selon vos normes, elle est peut-être bonne, mais elle ne possède plus aucune vertu curative ou régénératrice.

Songez à la quantité de café, de boissons gazeuses, de bière et d'alcool vendue dans le monde chaque jour, en plus de tous les autres liquides synthétiques ingérés au quotidien. Votre corps a besoin d'être purifié et nettoyé régulièrement. Il faut boire chaque jour une eau pure, cristalline, inaltérée, afin de préserver un bien-être physique stable.

Peu importe les divers noms que leur donnent vos médecins sur cette planète, toutes les maladies ou les dysfonctionnements découlent essentiellement des mêmes facteurs : déséquilibres génétiques, nutritionnels, mentaux ou émotifs, et toxicité de l'environnement. Ces facteurs peuvent être modifiés relativement aisément ; un petit peu plus d'illumination suffirait. Les désignations que votre establishment médical attribue aux diverses affections sont très relatives. Elles ne représentent rien de plus que la constatation de ces déséquilibres dans l'organisme de l'individu.

Ainsi, à notre avis, la plus importante découverte médicale au cours des prochaines années sera une prise de conscience : vous êtes tout à fait en mesure de transformer vos habitudes alimentaires, de faire plus d'exercice, de vous divertir davantage, de réduire votre état de stress physique et émotif, et de renoncer aux anciennes convictions qui perpétuent votre fatigue et votre piètre état de santé. Vous découvrirez un mode de vie plus holistique et intégré, qui maintiendra une santé parfaite en tout temps, aussi longtemps que vous le désirerez. La guérison véritable, chers amis, ne peut provenir que de l'âme et de la conscience. Les traitements externes sont toujours secondaires, et leurs bienfaits ne peuvent que refléter les modifications internes que vous effectuez.

Je conclurai cette réponse ainsi : *votre forme physique est le miroir de votre conscience.* Lorsque vous êtes incarnés sur cette planète, vous habitez une « maison des miroirs ». À mesure que vous guérirez vos émotions, que vous vous ouvrirez à des états de conscience supérieurs et les intégrerez dans votre vie, votre corps reflétera ces changements et se métamorphosera. Vous apprécierez désormais la sagesse du vieil adage « guéris-toi toi-même ».

Je suis Adama, toujours présent à vos côtés.

CHAPITRE ONZE

LES INTERVENTIONS

Adama, par Aurelia Louise Jones

Habituellement, les êtres du centre de la Terre ne sont pas autorisés à intervenir dans les affaires des peuples de la surface ni à interférer avec leur libre arbitre. Nous sommes membres de la Confédération galactique des planètes, et régis par ce concile. Le Concile des douze de cette Confédération se charge de prendre les décisions quant à d'éventuelles interventions à la surface de cette planète. Nous n'agirions qu'à la suite de leur requête, et avec leur pleine autorisation. Cela ne veut pas dire pour autant que nous ne sommes jamais intervenus d'une manière ou d'une autre ; mais vous devez comprendre que d'ici la conclusion de cette « grande expérience » sur la planète Terre, il n'est pas opportun pour nous de nous mêler des choix issus du libre arbitre de l'humanité. Nous n'avons pas empêché l'engloutissement de deux des continents majeurs sur ce globe ni les guerres et les ravages que vous avez choisi de provoquer.

L'intervention divine que la planète connaîtra bientôt a effectivement été décrétée par votre Créateur. De ce fait, une infinité d'extraterrestres en provenance de millions de systèmes solaires, vos frères intercosmiques qui vous aiment tant, sont aujourd'hui des millions et des milliards à se préparer à seconder cette Terre et ses habitants pour la grande transformation. Parmi ces civilisations extraterrestres, l'on compte les Arcturiens, les Pléiadiens, les Andromédans, les Siriens, les Vénusiens, les sociétés d'Alpha du Centaure, les Nibiruans et Orion positifs, et tant d'autres.

Ces fraternités de l'espace, que tant de vous espèrent retrouver, sont des membres de votre famille spirituelle qui participeront à vos « identités futures ». Ils ont souvent empêché que la Terre n'essuie des catastrophes cosmiques qui auraient terriblement massacré son corps. À votre insu, et à maintes reprises, elle a été protégée, comme vous-mêmes, de graves invasions par des races de l'espace qui n'ont pas encore adopté l'amour inconditionnel et une authentique fraternité. Les Arcturiens, les Siriens, les Pléiadiens et beaucoup d'autres furent vos plus précieux alliés et défenseurs cosmiques. Des millions d'années durant, ils ont veillé sur vous de mille manières que vous ne pouvez concevoir. Ils sont encore à vos côtés, de plus en plus nombreux, afin de vous seconder et de stabiliser votre planète tout au long des bouleversements et des changements dimensionnels que la Terre connaîtra bientôt. Ils s'assurent également chaque jour de diffuser vers vous de l'amour.

C'est avec une amère tristesse que nous constatons l'attitude que vous avez à l'égard de votre planète et les uns envers les autres en tant que membres de la famille de Dieu. Le seul type d'action qui soit permis aux êtres habitant l'intérieur du globe, c'est de diffuser vers vous de l'amour et de la lumière afin d'adoucir vos peines, votre tristesse, vos souffrances. Depuis des millénaires et des éons, de l'autre côté du voile, tous, de l'intérieur de la Terre, nous vous avons guidés, instruits, nous vous avons dévoilé notre sagesse, notre grâce, notre amour, le fonctionnement d'une authentique fraternité, de la paix et de la prospérité. Nous avons travaillé avec vous dans l'état de rêve et entre chacune de vos incarnations. Des millénaires durant, des prophètes, de grands sages et des avatars ont été envoyés parmi vous ; mais la plupart ont été ignorés, persécutés, voire tués.

Il y a fort longtemps, un accord fut passé entre les intraterrestres et le collectif des âmes évoluant à la surface de la planète : *vos expérimentations avec l'état de séparation devaient se dérouler sans l'intervention des premiers et ceux-ci ne devaient pas entraver la manière dont vous choisissiez d'évoluer et d'assimiler vos leçons.* Le même accord valait pour votre Terre-mère : elle a consenti à tous vos choix, au détriment du bien-être et de la beauté de son corps. Elle vous aura tout permis jusqu'au jour où le Créateur premier décrétera que la grande expérience sur terre est terminée. Et voilà, chers amis, le moment est venu. Le décret de votre Créateur stipulant votre réveil et votre retour à l'état divin qui est naturellement vôtre a été entendu de par cet univers, et même au-delà. C'est pourquoi tout sur terre à l'heure actuelle se prépare à cette « importante réunion », à ce grand bouleversement. Venez, foncez ! Ne cherchez pas à retourner en arrière. Délaissez l'ancien pour accueillir le nouveau monde.

Une autre forme d'intervention : les *crops circles*

Les agroglyphes sont d'abord des jardins appartenant aux quatrième et cinquième dimensions. Ils sont effectivement le fruit d'une collaboration entre les intraterrestres, les extraterrestres et l'évolution du royaume devique. Mais il s'agit surtout de l'œuvre des extraterrestres. Ce sont des créations temporaires dans votre réalité tridimensionnelle qui visent à éveiller votre curiosité, à élargir votre perception, à vous ouvrir à une nouvelle façon de penser. Ces phénomènes ont pour but de vous aider à vous extirper de cette cage étriquée dans laquelle vous vous êtes emmurés et de vous permettre d'accepter une vision plus vaste de la Création et de l'univers que celle dictée jusqu'ici par votre conditionnement. Les cercles sont encodés d'émanations lumineuses et sonores qui réveilleront votre âme et votre conscience.

Songez aux merveilleux jardins que vous allez concevoir pour rehausser la splendeur de vos nouveaux domiciles. Comparez-les aux cercles dans les champs. Dans un futur imminent, ce phénomène mystérieux deviendra si coutumier qu'il ne sera plus perçu comme quelque chose d'inhabituel. Ce sont les parcs édéniques de votre avenir ; ils sont saturés de lumières, de couleurs et de sons. Vos intentions engendreront des jardins prodigieux similaires à ces agroglyphes par leur fréquence et leurs encodages. Dans ces lieux idylliques, vous sèmerez tout ce que votre cœur désirera ; tout ce que votre imagination pourra concevoir se manifestera pratiquement sans effort. Ils seront aussi autosuffisants, en ce sens qu'ils fleuriront et donneront des fruits sans relâche jusqu'à ce que vous souhaitiez autre chose ; dans ce cas, une création toute nouvelle fleurira sans délai.

Ces glyphes dans les champs sont révélés également pour votre plaisir et afin de vous donner un petit aperçu de votre avenir. Ouvrez votre cœur et votre esprit à tous les miracles qui vous attendent une fois que la Terre aura subi sa purification, juste avant le grand bouleversement.

Je suis Adama, votre frère de Telos.

CHAPITRE DOUZE

LA CINQUIÈME DIMENSION ESPÈRE VOTRE RETOUR IMMINENT

Adama, par Aurelia Louise Jones

La ceinture de photons et le portail sur la cinquième dimension

Avant d'entamer directement ce qui a trait à la cinquième dimension, j'aimerais éclaircir plusieurs informations concernant la ceinture de photons. En effet, plusieurs d'entre vous entretiennent nombre d'idées à son sujet. Quelques-uns de vos pressentiments correspondent à un aspect de la vérité, alors que d'autres ne sont que pure fiction. Laissez-moi donc vous présenter une nouvelle facette de la question parmi bien d'autres d'ailleurs. Précisons d'abord que celle-ci pourrait faire l'objet de plusieurs ouvrages. Toutefois, pour l'heure, je voudrais aborder un aspect de la plus haute importance pour chacun de vous.

À la surface, on spécule énormément sur la nature exacte de la ceinture de photons et sur le moment où la Terre a pénétré ou pénétrera ce vortex. *Sachez que votre planète est officiellement entrée dans la ceinture de photons en mai 1998, au moment où la pleine lune était en Taureau.*

Cette ceinture se compose de douze énormes vortex de bandes de lumière intenses, chacun d'eux exerçant une influence spécifique sur votre sphère. Dans notre système solaire, l'ensemble du processus est surveillé très étroitement afin qu'il se déroule harmonieusement et en équilibre. Il s'agit par ailleurs d'un processus tout à fait sans danger au cours duquel il n'y a rien à craindre.

L'on peut dire que la lumière de la ceinture de photons est douée de fréquences et de qualités hautement raffinées qui sont propres à la flamme d'ascension ; elle comporte aussi plusieurs autres attributs.

Ce qui ne signifie pas que la Terre n'a pas subi son influence avant mai 1998. Celle-ci s'est exercée pendant plusieurs années. Des vagues de lumière provenant de la ceinture de photons ont été diffusées vers cette planète à divers intervalles annuellement, depuis plusieurs années déjà, notamment à l'époque des équinoxes et des solstices. Tous les ans, la lumière était émise avec une intensité et une fréquence croissantes. Il vous fallait un temps d'acclimatation, chers amis, pour la quantité de lumière encore plus vaste qui allait venir. Néanmoins, à partir de mai 1998, quand la Terre a officiellement fait son entrée dans le premier vortex, il n'a plus été possible de faire marche arrière.

Au cours des douze prochaines années, elle traversera chacun de ces douze vortex des bandes de lumière avec l'intensité nécessaire à sa purification et en préparation de son processus d'ascension vers la cinquième dimension. Ce sera aussi votre destination, si vous en faites le choix.

Depuis mai 1998, les fréquences et intensités de lumière provenant de la ceinture de photons ne sont plus diffusées à divers intervalles. En fait, elles bombardent la Terre beaucoup plus intensément et sans relâche. Nous sommes demeurées au sein du premier vortex pendant une période de dix-huit à vingt-quatre mois, peut-être un peu moins, et plusieurs ajustements ont dû y être effectués avant de pouvoir passer au suivant. L'ensemble de l'humanité ressent, d'une manière ou d'une autre, les effets du profond assainissement que ces énergies nouvelles provoquent. Chaque personne sur terre doit faire ce qu'il faut pour ajuster sa conscience et procéder aux modifications nécessaires en elle afin de pouvoir se mouvoir avec cette majestueuse lumière et être transformée par celle-ci.

Je le répète encore une fois : *nous en sommes à un point de non-retour.* Il vous faudra décider pour vous-mêmes, dès maintenant, si vous souhaitez ou non chevaucher la vague de l'ascension aux côtés de la planète et faire partie de la nouvelle espèce d'humains qui résultera de cette transformation. Ce faisant, il vous faudra aussi décider d'acquérir l'immortalité et d'ascensionner vers la conscience de la Terre Nouvelle sur le plan de la cinquième dimension ; ou encore, vous pourrez choisir d'être broyés par la magnitude des bouleversements en restant dans la troisième dimension pour un autre cycle d'incarnations. Le choix vous appartient entièrement. L'occasion s'offre à tous.

Ceux qui résisteront à la lumière et aux nombreux changements qu'elle entraînera ne pourront pas survivre physiquement à leur passage au travers des douze vortex. Nous savons que plusieurs choisiront, en leur âme ou sur le plan conscient, de quitter ou d'abandonner leur corps physique plutôt que de renoncer à leurs angoisses, à leurs idéologies préétablies et à leurs objectifs personnels contraires au bien suprême et au bien-être collectif. Ils opteront pour cette voie, au lieu de consentir à franchir, aimablement, les étapes requises pour cette métamorphose. Il y a également ceux qui sont peut-être prêts à faire le voyage mais qui, en raison de leur âge, décideront d'accomplir la transformation depuis « l'autre côté » du voile. Pour ces âmes valeureuses, cette option est tout à fait valable, et nous vous demandons de ne pas leur exprimer votre chagrin. Acquiescez à leur choix en les laissant partir en paix. Respectez leur décision. Comme ils parviendront à destination en même temps que vous, vous les retrouverez.

Plusieurs d'entre vous ressentent et remarquent déjà dans leurs corps physique et émotionnel les effets survenant sur les plans génétiques et cellulaires. Ils éprouvent des symptômes désagréables et jusqu'ici inconnus, notamment des maux de tête, des douleurs thoraciques, des palpitations, une fatigue chronique, des étourdissements, des nausées, des schémas de sommeil fluctuants, un bourdonnement dans les oreilles, une vision brouillée, etc. Ils constatent également de nombreux changements sur le plan émotif. Leurs corps sont en train d'évoluer et de se purifier. Toutes les émotions, toutes les façons de penser et de percevoir périmées, émoussées, négatives émergent à la surface afin qu'ils les examinent, les assainissent et les transmutent. Certains sont en proie à des sentiments confus, tandis que d'autres se sentent « mal en point ». Je vous assure que tout cela n'est que temporaire. Tenez bon et demeurez dans une fréquence d'amour envers vous-même et autrui. Tout passera.

Le temps est venu de laisser derrière vous toutes vos craintes et vos schémas négatifs. Vous ne pouvez tout simplement plus les emporter avec vous. Là où nous allons, chers amis, il n'y a que l'amour. Aucun espace n'est alloué à la peur ou à la négativité. Que feriez-vous, au seuil du portail de la cinquième dimension, chargés de votre bagage de peurs et de négativités ? La vibration de ces états d'esprit n'est pas compatible avec celle-ci. Préférez-vous rester derrière sur le plan tridimensionnel et avoir à subir un autre cycle d'incarnations simplement parce que vous vous êtes accrochés à ces états d'esprit inférieurs ? Souhaitez-vous les charrier avec vous tout au long des douze vortex jusqu'au seuil du portail, pour vous faire dire, au bout du compte, que votre bagage malsain ne peut pas vous suivre ? Ou désirez-vous vous mettre au travail pour vous en délivrer dès maintenant et vous affranchir de ce fardeau contraignant alors qu'il reste encore un peu de temps ?

La métamorphose de la race humaine s'est enclenchée tout doucement il y a environ trente ans. Elle s'est intensifiée vers 1987, puis encore un peu plus vers 1994. Depuis le Wesak de 1998, ces énergies ont suscité une mutation accélérée dans les quatre systèmes corporels de l'humanité. La vive lumière cosmique émanant de la ceinture de photons déferle sur nous tous désormais. Qu'on le veuille ou non, nul ne peut l'éviter. Grâce à la latitude que vous accorde votre libre arbitre, vous pouvez la mettre à profit pour votre avancement spirituel, votre transformation physique et votre résurrection, et vous joindre à l'ascension de notre précieuse Terre-mère. La Terre et l'humanité ascensionnent ensemble comme « une grande famille ».

À Telos, nous aussi ascensionnerons avec vous. Nous ne pouvons vous promettre que le processus sera entièrement indolore pour tous ceux qui s'y seront engagés. Chacun aura à effectuer des ajustements. Vous serez transformés en une espèce nouvelle d'humains immortels et infinis qui peupleront la Terre Nouvelle – un endroit d'amour divin, d'abondance sans fin, de beauté et de paix éternelle. La Terre Nouvelle manifestera sous peu une gloire, une perfection au-delà de vos rêves les plus fous. La Terre-mère est déjà engagée dans ce processus. Ou vous vous joignez à elle, ou vous restez derrière. À l'heure actuelle, il n'est pas possible de demeurer entre les deux. Bien sûr, vous pouvez opter de nous rejoindre après quelques incarnations, et vous arriverez à destination, tôt ou tard. Mais je parle de nous suivre maintenant, à la fin du présent cycle terrestre qui s'achèvera vers 2012, non pas dans des centaines, voire des milliers d'années ! Quelle sera alors votre décision ?

Aucun jugement ne sera porté quant à cette décision. Dieu vous ayant accordé le libre arbitre, il ne vous en privera pas. Quelles seront donc vos options ? Il est prévu que les troisième et quatrième dimensions disparaîtront éventuellement de la Terre. Si vous optez de demeurer dans l'illusion de ce prétendu « territoire connu » – l'ancien paradigme de la troisième dimension –, vous n'atteindrez pas à l'immortalité. Ceci signifie que tôt ou tard, il vous faudra quitter votre corps pour entreprendre une autre incarnation sur une planète tridimensionnelle semblable à celle-ci. À cet endroit, vous continuerez à mijoter dans vos angoisses, à exercer votre violence, votre contrôle, vos conflits armés, vos manipulations, à subir vos limitations, vos dépendances et toute la négativité à laquelle vous ne souhaitez pas renoncer aujourd'hui.

Je vous dis tout cela animé par mon affection pour vous et en raison du profond amour que Dieu éprouve à votre égard. Je ne tente nullement de vous effrayer. J'essaie simplement de partager avec vous une information de première importance dans l'espoir de vous aider à vous extirper de votre léthargie, de votre torpeur spirituelle, de votre dynamique illusoire et désuète, et à vous éveiller. Vous tous qui parcourez ces lignes, sachez que la hiérarchie spirituelle de cette planète souhaite ardemment que vous puissiez effectuer un choix « judicieux ». Nous espérons du fond du cœur que vous déciderez de vous joindre à nous, car nous formons une grande famille où chacun est tendrement apprécié.

Chers amis, vous avez entendu parler du « lieu d'élection » que mentionnent les Saintes Écritures. Eh bien, cet endroit tout spécial n'est nul autre que la conscience de la cinquième dimension. À l'aube du millénaire, nous nous inquiétons de voir trop de ces précieux habitants de la Terre – qui pourraient facilement atteindre le seuil de la cinquième dimension et y être admis – poursuivre leur existence dans un état de conscience de type « pilote automatique ». C'est cet état de conscience qui les empêche d'assumer la responsabilité de créer leur réalité future, d'entendre parler de changements ou de faire un examen sérieux de leur vie pour voir où ils en sont. Je ne peux souligner à quel point les paroles qui suivent sont importantes.

L'époque où vous pouviez vivre en mode « pilote automatique » est révolue. L'humanité a vécu ainsi depuis des millénaires, et ce type d'attitude a entraîné des souffrances abominables, des chagrins, de l'indigence, des maladies et tous les maux socio-économiques qui ont affligé l'humanité depuis. Le moment de votre délivrance est venu. Vous, en tant qu'âmes évoluant sur terre, pouvez être « délivrés » seulement si vous en prenez la décision consciente. Cela ne se produira jamais si vous persistez à agir à partir du « pilote automatique ». La chose ne sera possible que si vous accueillez, dès maintenant, la conscience christique et si vous vous mettez à penser et à agir avec cette conscience et cet amour christique. Peu importe la quantité d'aide qui vous parvient de là-haut, personne ne pourra le faire à votre place. Il faudra que vous laissiez s'éveiller en votre cœur le désir de faire progresser votre conscience vers le niveau espéré.

Le retour vers la cinquième dimension

Avec le concours d'autres civilisations hautement évoluées vivant au tréfonds du globe terrestre, notre société télosienne a, depuis longtemps déjà, atteint un degré de conscience appartenant à la cinquième dimension. En effet, nous avons préféré conserver une forme qui possède encore un certain degré de densité physique. Nos organismes sont pareils aux vôtres du point de vue génétique. Toutefois, la mission et l'accord stipulant que nous devions accompagner le processus d'ascension de la Terre exigeaient que nous gardions un corps tangible, physique, que vous pourriez percevoir.

Comme contribution à la vie et à cette planète, nous avons consenti à préserver ce degré de densité physique qui nous permettra d'émerger à la surface – lorsque votre population sera prête à nous recevoir et à écouter nos enseignements ; alors, nous nous retrouverons tous ensemble, tels de vieux amis, des frères et sœurs, et vous pourrez nous voir, nous entendre et nous toucher, comme si nous étions des vôtres.

Du point de vue génétique, nous sommes parfaitement identiques, et c'est pourquoi vous pourrez vous inspirer du développement physique illimité que nous avons atteint ; cela deviendra votre objectif. Notre encodage d'ADN opère en faisant appel aux douze brins d'ADN que vous connaissez ; dans votre cas, seuls deux brins sont actuellement actifs alors que dix autres demeurent latents, et c'est ainsi que vous avez survécu depuis les 18 000 dernières années. D'ailleurs, il en existe vingt-quatre autres à l'état de potentiels que quelques-uns d'entre vous commencent à découvrir. Puisque vous êtes privés d'un tel pourcentage de votre capacité divine, vous opérez à l'heure actuelle avec 5 à 10 % seulement de votre potentiel total, alors que nous l'employons à 100 %. Et pour quiconque évolue vers les dimensions supérieures, ce potentiel baigne dans l'éternité.

À l'époque glorieuse de la Lémurie, l'humanité presque entière et l'ensemble de la population lémurienne opéraient avec trente-six brins d'ADN. Au cours du déclin – un abaissement progressif de la conscience qui se prolongea sur environ 200 000 ans –, peu à peu vingt-quatre de ces brins s'ankylosèrent jusqu'à ce qu'il n'y en ait plus que douze en activité.

Une fois les continents de la Lémurie et de l'Atlantide anéantis, dix autres brins d'ADN se désactivèrent. Depuis, ils se réactivent graduellement, à mesure que vous vous ouvrez à la vibration d'amour inconditionnel et à une conscience supérieure. On mentionne souvent que des extraterrestres malveillants auraient manipulé l'encodage génétique de l'humanité, et c'est effectivement le cas pour ce qui concerne certaines civilisations de la Terre. Mais comprenez qu'il s'agissait du karma de la race humaine d'alors, et que cette manipulation s'est effectuée avec l'assentiment des hiérarques de la Terre.

En ces temps-là, l'humanité s'était dégradée et avait atteint un niveau de conscience si vil qu'il aurait été impossible pour elle d'opérer avec ses douze brins d'ADN. Cette dégénérescence eut des conséquences graves, très douloureuses pour l'humanité ; soyez certains, par contre, qu'il s'agissait d'une décision motivée par une sagesse pénétrante et qu'il n'y avait pas d'autres moyens de procéder. Si l'humanité n'était pas tombée à des niveaux de conscience aussi abjects, cette altération de l'ADN ne se serait jamais produite. Elle vous a permis de reprendre votre évolution à zéro, mais d'un point de vue différent excluant la possibilité d'abuser de vos pouvoirs comme ce fut le cas pour l'Atlantide et la Lémurie. Cela vous a également amenés à jouir pleinement de votre libre arbitre sans avoir à subir les conséquences des graves abus de pouvoir de l'amour divin, et aussi à développer la sagesse à partir de vos erreurs et de vos expériences.

La triple flamme vivante d'amour, de sagesse et de puissance divins s'étendait naguère sur un diamètre de trois mètres dans votre champ aurique ; au sein du « cœur intérieur », elle vous assurait de fonctionner nantis de toutes vos facultés célestes, votre héritage cosmique. Grâce à elle, vous pouviez vivre jusqu'à 20 000 ou 30 000 ans, à votre guise et aussi longtemps qu'il vous plaisait ; vous quittiez votre corps quand vous le désiriez. Cette triple flamme vous conférait une immortalité naturelle et l'emploi miraculeux des attributs inhérents à votre état divin. Dieux immortels, vous étiez façonnés à l'image de votre Créateur, exempts de limites. Voilà comment se déroulait la vie sur terre il y a fort longtemps, et ce, pendant des centaines de milliers d'années. En tant qu'êtres divins, vous aviez accès à tout. L'ensemble du savoir appartenant à la conscience universelle était à portée de votre main. C'était en quelque sorte votre legs. Malheureusement, en tant que collectivité, vous avez gravement abusé de ces privilèges.

Une fois que l'humanité s'est mise à employer ces dons divins prodigieux à mauvais escient, elle a subi une dégradation directement proportionnelle à ce mauvais usage. Mes amis, vous retrouverez ces dons endormis uniquement quand seront maintenus, dans la conscience, les sentiments et les actions de chacun, le niveau d'évolution originel, l'amour inconditionnel, l'harmonie, l'emploi correct de la volonté, du pouvoir et de la sagesse divine.

En raison de l'abus de ces attributs divins à l'époque de la destruction des deux continents ainsi que des civilisations qui avaient été si somptueusement nanties par le Créateur, le niveau de conscience sur terre s'est abaissé à un degré tel que le Dieu Père/Mère décréta que le seul moyen de sauver la race humaine et de la ramener à la plénitude de la conscience-Dieu originelle serait de réduire cette triple flamme à 1 mm. Par le fait même, la race humaine ne pourrait plus désormais profaner les pouvoirs et les énergies de Dieu.

Dès lors, chers amis, il est clair que vous n'opérez plus qu'avec deux brins d'ADN et que seule une minuscule étincelle de la flamme triple originelle scintille en vos cœurs. Le chemin de retour vers la plénitude a été un parcours douloureux, pénible. Sachez bien que c'était là l'unique manière pour Dieu de vous sauver. Toutes les autres tentatives de votre Créateur pour vous ramener vers lui demeurèrent stériles ; il fallait respecter votre choix de faire mauvais usage des énergies divines.

Aujourd'hui, la lumière point à l'horizon. Un vaste pourcentage de la race humaine a désormais assimilé ses leçons, et vous avez témoigné, grâce au libre arbitre, d'un ardent désir de retrouver votre plénitude. Mû par un amour inconditionnel, votre Créateur a attendu le jour où il serait en mesure de vous rendre les dons que vous possédiez à l'origine.

Le moment de votre rédemption est imminent ; tout ce que vous avez perdu, en apparence, vous sera remis intégralement. En vérité, vous n'avez rien perdu. Vous avez été créés à l'image de Dieu, et c'est là votre nature indélébile. Rien ne peut vous déposséder de votre état divin ; il n'est que voilé par vos abus et par les karmas que vous avez collectivement accumulés autrefois.

À Telos, les gens peuvent paraître complètement différents, mais le fait est qu'ils expriment simplement leur nature divine en tout temps. Grâce à la voie d'évolution que nous avons choisie, tous les attributs célestes nous ont été rendus depuis fort longtemps. Une fois restauré votre état angélique, vous jouirez aussitôt de la grâce que nous goûtons, immuablement. Nous avons préféré demeurer ici, dans notre état actuel, jusqu'au jour où nous émergerons à la surface pour servir d'exemple, cet exemple qui vous fait défaut depuis 12 000 ans. À ce moment-là, nous vous prêterons main-forte afin que vous retrouviez la plénitude du Dieu/Déesse qui est vôtre et que vous la manifestiez au quotidien. Vous comprendrez alors que nous ne différons en rien les uns des autres.

Nous sommes vos frères et sœurs aînés ; nous ressentons pour vous un amour profond. Quel bonheur ce sera de vous retrouver, face à face, pour vous seconder sur le chemin du retour à la maison ! Acceptez la main tendue vers vous ; nous ne vous décevrons pas. Tous les êtres des royaumes de lumière sont à votre disposition, prêts à vous aider à rentrer chez vous. Revenez à la maison ! La cinquième dimension attend votre retour.

Nous ne pouvons vous forcer à revenir contre votre volonté ; il faut ouvrir votre cœur et votre esprit, et en décider de votre plein gré. Ceux d'entre vous qui opteront pour ce retour pourront demeurer dans le même corps physique. En cette époque de l'histoire du monde, puisque l'ensemble des créatures vivantes sur votre planète approche de sa délivrance, il n'est pas nécessaire de laisser votre corps derrière, comme c'était le cas depuis des millénaires. Dorénavant, vous n'avez plus à mourir physiquement. Votre corps se métamorphosera ; il deviendra immortel et illimité, semblable aux nôtres. Il vous suffit d'en faire le choix consciemment, de vous ouvrir à cette possibilité et d'accepter cette grâce divine émanant de votre Dieu Père/Mère.

La Lémurie et les autres continents existent toujours

Au moment de la disparition de notre continent – notre Lémurie bien-aimée –, le Dieu Père/Mère l'a élevé vers la quatrième dimension où nous prospérons et évoluons. Par la suite, nous avons progressé vers un mode de vie et un état de conscience plus raffinés encore, et nous sommes passés à une fréquence de la cinquième dimension. Seule la manifestation tridimensionnelle de la Lémurie a été anéantie.

Vous devez comprendre que, puisque notre existence se poursuit dans toutes les dimensions simultanément, la Lémurie et les autres continents existaient alors concurremment et continuent à ce jour d'évoluer dans les quatrième et cinquième dimensions. À l'époque de la Lémurie, avant le déclin de la conscience, vous aussi vous déplaciez consciemment d'une dimension à l'autre. Vous étiez ainsi en mesure de moduler vos vibrations librement pour passer de la troisième à la cinquième dimension, et ce, avec beaucoup de facilité et de grâce ; tout dépendait de ce que vous souhaitiez accomplir et de l'endroit où vous désiriez aller. Tous les êtres vivants étaient alors en parfaite harmonie, continuellement ; les voiles entre les dimensions ne les obstruaient pas. Les brouillages résultent du mauvais usage qu'a fait l'humanité de dons divins. Ils sont apparus pour protéger les autres dimensions des ténèbres et de l'avilissement physique, émotionnel et spirituel émanant de la troisième dimension.

Lorsque nous disons avoir été élevés vers les quatrième et cinquième dimensions, nous entendons que la Lémurie existait déjà dans celles-ci. Ce qui est passé aux dimensions supérieures, ce sont les énergies et le schème directeur éthérique du territoire, les énergies et le plan astral des temples demeurés au service de la lumière, ainsi que les énergies des gens demeurés alignés sur le plan divin. Ce fut une élévation de l'ensemble de ces énergies et de la culture lémurienne qui avaient autrefois baigné dans cet état de conscience. Au moment de l'anéantissement du continent, tout ce qui restait de la lumière et de l'amour de la Lémurie dans la troisième dimension, tout ce qui pouvait être récupéré et transmué, fut haussé vers une vibration supérieure. Il y eut alors un amalgame, une fusion des énergies restantes de la troisième dimension avec la quatrième.

La civilisation inca a ascensionné il y a déjà fort longtemps vers la cinquième dimension ; les Incas y poursuivent leur évolution et espèrent vous accueillir parmi eux.

Quelques informations sur ce qui se profile à l'horizon

Certains d'entre vous pensent que la Lémurie réapparaîtra sous forme tridimensionnelle au milieu du Pacifique, mais ce n'est pas le cas. Au mieux, plusieurs îles du Pacifique qui formaient en fait le sommet de montagnes au temps de la Lémurie s'étendront et de nouvelles terres surgiront des eaux. La topographie actuelle sera considérablement modifiée en raison des transitions vers des états de conscience supérieurs, sans toutefois être bouleversée du tout au tout.

La Terre s'apprête à subir d'importantes transformations. Votre Terre-mère doit se purifier et se régénérer avant d'être élevée vers la quatrième dimension, puis vers la cinquième. Nous vous prions de consentir à ce qu'elle change, sans porter de jugements. Depuis des millions d'années, elle a enduré une maltraitance extrême aux mains de la race humaine, et ce, afin de vous permettre d'expérimenter avec le libre arbitre ; en retour, elle n'a bénéficié que de peu de gratitude ou d'égards. Elle n'a plus d'autre choix que de se renouveler, si elle doit continuer à sustenter une humanité évoluant vers des sphères plus élevées.

Nous vous demandons aujourd'hui de lui témoigner de la compassion et de lui permettre de se purifier et de se régénérer. Au bout du compte, vous en serez les bénéficiaires, même s'il doit y avoir une période de chaos apparent. La troisième dimension telle que vous la connaissez présentement tire à sa fin ; c'est le terme d'une ère qui fut particulièrement douloureuse et amère pour l'humanité. Elle sera éventuellement assimilée aux consciences des quatrième et cinquième dimensions. Il vous sera possible de conserver un certain degré de densité physique ; vous aurez ainsi la même sensation de tangibilité et de réalité que vous éprouviez dans la troisième dimension, mais votre être profond et votre environnement auront transcendé vers un autre niveau de perfection, d'expansion et de clarté. Il ne s'agira donc pas d'atteindre un lieu inconnu, mais plutôt d'intégrer un état de conscience et de perfection. En modifiant votre perception, tout ce qui vous entoure s'ajustera à cette modification et se transformera.

La Terre, ainsi qu'un grand pourcentage de l'humanité, se lance aujourd'hui dans la grande aventure, la traversée des dimensions, afin de redevenir le paradis qu'elle était ; et il y aura de nombreuses surprises en prime. Nous n'avons pas le droit de révéler à la race humaine la manière précise dont ceci doit se produire. Quelques-uns parmi vous en ont peut-être déjà eu un aperçu ou s'en seront fait une idée, mais l'ensemble du projet doit demeurer confidentiel. Du coup, il aura un impact plus considérable, plus efficace. Vous avez prié encore et encore, vous avez depuis longtemps sollicité une intervention divine sur votre planète : vos prières sont sur le point d'être exaucées !

Ce qu'on appelle la Nouvelle Lémurie est en fait un concept qui n'est pas nouveau. Depuis la destruction physique de notre continent il y a 12 000 ans, elle évolue vers des sommets de perfection de plus en plus élevés. D'une certaine manière, vous vous fusionnerez à ce qui existe déjà. Les prodigieuses cités de lumière sur cette planète – et elles sont nombreuses – s'abaisseront à un niveau que vous pourrez percevoir et pénétrer librement afin de vous allier à elles et de vous y intégrer. Quand ces phénomènes surviendront, ils vous paraîtront tout à fait réels, tangibles. Ces cités descendront lorsque les gens qui vivent sous elles auront atteint un niveau de conscience correspondant à leur vibration.

Il vous faut d'abord mettre de l'ordre dans le foutoir que vous avez engendré et que vous perpétuez dans la troisième dimension ; permettez à la Terre-mère de purifier son organisme. Vous devez aussi rendre hommage à la Terre en tant qu'être conscient, respirant, vivant. Reconnaissez qu'elle est votre mère cosmique, qu'elle vous a fourni un tremplin pour votre évolution. Prenez conscience que l'usage excessif de ses ressources que vous tenez pour acquises tarit son corps. Savez-vous que les arbres que vous abattez à profusion et sans scrupules sont ses poumons, que les gemmes sont ses artères et que le pétrole que vous employez exagérément et sans pitié constitue son sang même ? Les minéraux et les gemmes que vous extrayez sans considération aucune pour la Terre-mère font également partie de son système énergétique. Il vous faut naturellement apprendre à faire un usage conscient de ses ressources, et adopter une attitude très différente de celle que vous aviez jusqu'ici.

Vous devez également vous ouvrir aux consciences des dimensions supérieures, comme condition d'admission. C'est là le type de savoir que nous souhaitons partager avec vous lorsque nous émergerons de nos demeures sous la croûte terrestre. Nous désirons vous seconder dans vos préparatifs pour la grande transformation, prévue pour l'année 2012.

La troisième dimension continuera-t-elle d'exister après la grande transformation ?

Voilà une question à laquelle il est impossible de répondre avec la précision que vous souhaiteriez. Beaucoup d'éléments n'ont pas encore été soupesés ; plusieurs facteurs restent à déterminer ou demeurent inconnus. Il est certain que la troisième dimension continuera d'exister pendant quelque temps. Mais la Terre, après sa transformation, passera un long moment à retrouver son équilibre et je vous assure, mes amis, qu'il ne sera pas souhaitable que vous demeuriez ici dans cette dimension. C'est pourquoi nous vous incitons à suivre le courant de la grande transformation menant aux dimensions supérieures. Cette planète possède plusieurs strates temporelles dont chacune connaîtra un scénario différent. Les gens vivront la séquence d'événements de la strate temporelle avec laquelle ils résonnent en leur conscience. Certains choisiront sans doute de demeurer ici, dans la troisième dimension ; nous craignons que leur existence ne devienne assez pénible, du moins pendant quelque temps. Ce n'est toutefois pas ce que nous prédisons ou souhaitons pour la plus grande part de l'humanité. Vous êtes doués du libre arbitre, ne l'oubliez pas, et vos choix seront respectés jusqu'à la fin.

Ce qui est souhaitable pour la Terre, et que celle-ci souhaite elle-même en ce qui concerne son organisme tridimensionnel, c'est que cette troisième dimension soit un jour complètement guérie de toute négativité, que son corps soit entièrement régénéré et qu'il exprime la perfection divine, l'exquise beauté et l'équilibre que la planète possédait à l'aube de sa création. Bien que la troisième dimension ici-bas ne soit plus censée connaître d'autre évolution après la grande transformation, la Terre aimerait bien que les êtres de plusieurs royaumes et civilisations des dimensions supérieures puissent continuer à jouir à leur guise du degré tridimensionnel de densité physique. Pour les gens, les anges et les maîtres, le processus serait le même qu'avant « la chute » : un abaissement facile et conscient de leurs vibrations, afin de goûter les plaisirs tridimensionnels, une sorte de vacances, pour ainsi dire, qu'ils prolongeraient à leur gré, pour ensuite retourner vers les dimensions supérieures d'où ils étaient venus. Ceci signifie également qu'une fois que la négativité sera parfaitement dissipée et que la Terre sera retournée à son état originel, les êtres appartenant à toutes les dimensions de cette planète, et de l'au-delà, pourront y venir pour jouir de la plus somptueuse, la plus exceptionnelle « colonie de vacances » de l'univers.

Ce plan n'est pour l'instant qu'une éventualité, chers amis, puisque rien n'est encore garanti. Si vous ne cessez pas de traiter la Terre comme le dernier des dépotoirs, si vous n'arrêtez pas de la polluer à l'excès et de violer ses ressources naturelles dès maintenant, cette régénération ne sera peut-être plus possible. Elle ne pourra survenir que si vous tous qui êtes incarnés sur cette planète prenez immédiatement position et respectez la Terre, la « mère cosmique » qui vous a sustentés de son amour, de son abondance et de son corps, et qui vous a fourni un tremplin unique permettant une évolution que vous n'auriez jamais pu atteindre ailleurs dans cet univers. C'est là une exigence impérative à laquelle l'humanité doit se plier dès aujourd'hui.

Mes frères et sœurs de Telos se joignent à moi pour vous transmettre à chacun notre amour, notre amitié et notre soutien. Nous connaissons les difficultés que vous affrontez et nous sommes aussi au courant des avancées magnifiques que nombre d'entre vous ont réalisées. Sachez que vous comptez énormément. Nous diffusons vers vous notre amour.

CHAPITRE TREIZE

LE CLIMAT, LE TEMPS ET L'INFLUENCE DE LA PENSÉE

Adama, par Dianne Robbins

Notre climat est un facteur qui a contribué à notre évolution

Nous vous saluons en cette journée automnale de septembre ; les feuilles ont pris une jolie teinte orangée et jonchent le sol. À Telos, le paysage garde sa verdure puisque notre climat ne varie pas ! Nous accueillons le printemps toute l'année, car le feuillage est toujours vert et les fleurs, toujours épanouies. Voilà comment sont les schémas climatiques à Telos. Les températures oscillent entre 20 et 25°C, ce qui rend les journées délicieuses. Toute l'année, il est possible de se vêtir légèrement, sans jamais avoir trop froid ni trop chaud. Sous terre, nous avons instauré un climat idéal à l'abri des radiations du soleil et des ravages des conditions atmosphériques inclémentes.

Le fait que notre climat est stable constitue un autre facteur expliquant notre évolution hâtive. Cette constance offre un contexte beaucoup plus propice où développer nos talents et réaliser ce que nous désirons, au moment où nous le souhaitons. C'est pourquoi nous profitons de nos inspirations et agissons dans l'instant au lieu d'attendre les conditions météorologiques favorables à telle ou telle activité. Ceci présente un avantage définitif qui nous a permis de croître dans le « moment présent ».

Ici à Telos, le « présent » l'emporte, car nous maîtrisons la loi universelle qui consiste à faire et à agir à l'instant même, plutôt que de remettre à plus tard – comme vous en avez l'habitude à la surface. La vie est censée être vécue au présent, au moment où vous pouvez profiter de toutes les forces s'assemblant pour former une ouverture et présenter une occasion d'avancement le long du chemin.

Le climat joue un rôle primordial dans l'épanouissement et le progrès d'une civilisation ; le nôtre nous permet d'avancer rapidement puisque nous choisissons nos occupations sans avoir à en tenir compte. Visualisez donc que vous jouissez de conditions météorologiques idéales et stables, et que vous êtes un bastion puissant porté par une douce brise qui vous encourage et vous inspire sur la voie vers les étoiles.

La connexion entre votre vie et le temps qu'il fait

Dans les cités souterraines, nos conditions climatiques ne connaissent aucune fluctuation parce que l'environnement est fermé et protégé contre les forces de la nature qui sévissent sur la planète. C'est comme si nous étions au sein d'une matrice réconfortante qui nous berce et nous nourrit. Il s'agit de la meilleure manière d'évoluer. Voilà pourquoi vous ne pouvez pour le moment venir ici : nous devons mettre notre environnement exceptionnel à l'abri. Vous aussi pourrez instaurer ce type de milieu à la surface une fois que vous aurez compris que l'humanité ne fait qu'Un.

La température à Telos est constamment suave, fraîche. Elle est impeccable, car ici-bas, nous maintenons nos pensées en parfaite unité avec la Terre-mère. Et celle-ci nous le rend bien, puisqu'elle nous accorde la perfection. Nous sommes bénis par la Terre, car nous la bénissons et la caressons de nos pensées. C'est la Grande Mère qui prend toujours pleinement soin de ses enfants lorsqu'ils s'occupent d'elle de manière irréprochable.

La vie est une échelle circulaire qui, lorsqu'on la gravit en harmonie et avec amour, conduit tous ceux qui escaladent ses degrés vers les étapes supérieures de l'évolution. Grandissez en notre compagnie ! Même si les divers stades sont nombreux, nos cœurs ne font qu'Un.

Vos schémas climatiques désordonnés constituent le reflet de votre mental

À la surface, vos pensées sont actuellement hors contrôle et le chaos et la peur se reflètent dans vos schémas climatiques. Votre tempérament fait « irruption », et les volcans suivent votre exemple. Vos émotions fluctuent, et il en va de même pour les ouragans et les orages. Si vous faites une petite pause pour respirer et vous laisser pénétrer par la tranquillité, le temps connaîtra lui aussi une accalmie et vous offrira des journées paisibles, ensoleillées.

C'est ainsi que tout ce que vous pensez, tout ce que vous ressentez règle (ou devrions-nous dire dérègle…) les schémas météorologiques. La Terre est un vaste miroir qui réfléchit les pensées et les sentiments des créatures peuplant son corps. Si vous vous centrez et vous accordez à ses émotions à elle, il vous sera possible d'apaiser les tempêtes, de mettre un terme à l'incessant matraquage de la pluie et de court-circuiter les tornades ou les ouragans. Vous avez à votre disposition la puissance de cette connexion à la Terre ; vous êtes venus ici afin de l'aider à garder son équilibre et à retrouver l'aplomb propre à un grand être de lumière.

La Terre a été mise en quarantaine et rendue invisible à certains systèmes stellaires qui tentaient de s'emparer du contrôle des êtres humains. Lorsque ces derniers scrutaient la position où la planète était censée être, leurs écrans n'enregistraient qu'un espace vide, comme si elle n'existait plus. Cette quarantaine est désormais levée, et la Terre rayonne aujourd'hui de toute sa splendeur dans l'espace intersidéral ; elle est bien visible à tous. Notre planète est un grand organisme lumineux ; à mesure que s'éveillent les artisans de la lumière, son éclat brille plus intensément.

Je scrute très étroitement la surface et rapporte toute anomalie à la Confédération. Nous essayons d'empêcher les perturbations que connaît la Terre actuellement de troubler d'autres systèmes.

Les conditions climatiques à la surface reproduisent votre état d'esprit et reflètent son désordre et son agitation. Afin de stabiliser les schémas météorologiques chez vous, vous devez apaiser votre mental et ressentir que l'amour de Dieu vous imprègne. C'est cet amour qui vous équilibre et vous sustente, et qui vous garde d'aplomb – il en va de même pour le climat.

Quand vous reposerez inlassablement dans un état d'amour, que vous vous sentirez équilibrés et choyés, alors le temps réfléchira cet état et, à son tour, il sera calme et apaisant. Car vous êtes un reflet du macrocosme, lui-même votre reflet. En établissant les paramètres qui font que toutes choses sont en interaction, vous déterminez les conditions environnantes.

Nous vous expliquons ces principes parce que vous avez pu constater par vous-mêmes les vents violents, les pluies incessantes qui provoquent des inondations et des cataclysmes. Ces conditions météorologiques peuvent être contrecarrées si vous vous calmez et si vous vivez paisiblement et avec constance au jour le jour.

Il n'y a nul besoin de vous précipiter, de vous hâter, puisque tout reste toujours tel quel, et personne ne va jamais nulle part, car il n'y a nulle part où aller. Il n'y a que la dimension où vous vous trouvez en ce moment.

Avez-vous remarqué à quel point le temps semble planer quand vous êtes calmes et bien dans votre peau ? Eh bien, le temps flotte réellement, et plus vous serez dans cet état d'esprit, plus vous goûterez ce vol plané du temps vous berçant doucement au fil des jours.

Voilà comment la vie se déroule à Telos. Nous planons de par les jours, nous nous délectons de chaque minute sans apercevoir le temps qui passe, qui fuit au fur et à mesure de notre périple à travers la vie. Pour nous, chaque minute est puissante et nous vivons entièrement dans l'instant présent, songeant rarement à ce qu'il y a au-delà.

Vous aussi apprendrez à vous détacher et à planer dans le « maintenant » de la vie tout au long de votre odyssée vers les consciences supérieures.

Je suis Adama, votre frère hors du temps.

El Morya

par Aurelia Louise Jones

El Morya est le maître ascensionné qui est à l'heure actuelle le Chohan du premier rayon de pouvoir et de volonté divine.

Salutations, bien-aimés. Depuis ma résidence à l'intérieur du mont Shasta, je souhaite vous apporter, chers amis, un message d'amour visant à susciter une prise de conscience, puisque nous avons très peu de temps devant nous.

Au chapitre douze, Adama mentionne un certain état de conscience, une attitude adoptée par beaucoup d'âmes précieuses sur terre qui consentent à vivre leur vie en mode « pilote automatique ». Ces gens sont plongés dans une sorte de torpeur spirituelle où leur personnalité refuse sciemment de façonner leur réalité future et de mener une existence animée par « des intentions spécifiques » en écoutant les exhortations de leur âme.

Notre amour pour vous nous pousse à anticiper votre venue au seuil de la cinquième dimension, vers l'an 2012. Nous ouvrirons alors bien grand le portail et étendrons le tapis d'or pour votre arrivée, ravis de vous souhaiter la bienvenue dans les royaumes de la lumière et de l'amour. Quelle merveilleuse journée de réjouissances ce sera pour nous et pour les êtres humains qui seront parvenus à ce seuil ! Quelles heureuses retrouvailles pour nous tous ! Une somptueuse réception et un joyeux festival sont d'ailleurs en préparation. Ce jour-là, les pleurs couleront à flots ; mais ce seront, chers amis, des larmes de pure joie et d'extase. La vallée des larmes sera à jamais derrière nous.

Pouvez-vous imaginer, en y songeant un petit moment, la joie que vous ressentirez en retrouvant face à face, consciemment et dans votre forme immortalisée, les êtres chers qui ont quitté la Terre de votre vivant ? Vous retrouverez ceux que vous avez chéris tendrement au cours de la vie actuelle ainsi que ceux que vous avez peut-être oubliés, mais qui sont des âmes proches de vous et que vous avez aimées profondément lors de vies antérieures. Il s'agit d'êtres que vous connaissez depuis des millénaires, par exemple vos amis éternels ou d'autres membres de votre famille spirituelle qui ont pour vous une affection sincère.

Le simple fait de vous transmettre ce message éveille en nous la joie et l'enthousiasme de ce jour tant attendu. Les nôtres ont grande hâte de vous embrasser, encore une fois. Ils seront tous au portail, vêtus d'habits de lumière et de gloire, afin de vous prendre dans leurs bras dès votre arrivée. Une multitude d'êtres qui vous chérissent sont également présents ici avec nous, veillant sur vous et diffusant leur amour, désireux de connaître le jour de la grande réunion.

Ce sera si merveilleux, que le cosmos entier se tiendra aux premières loges. Je le redis une fois encore : le plus cher désir de la hiérarchie spirituelle sur cette planète et de votre Dieu Père/Mère, c'est de voir chacun de vous atteindre ce portail sacré, muni de l'autorisation d'y pénétrer.

Adama vous a déjà fait part du « code d'entrée » à Telos. Bien-aimés, en vertu de notre grand amour à votre égard, nous de la hiérarchie spirituelle souhaitons aussi vous parler de ce « code d'entrée » requis afin d'accéder à la cinquième dimension.

Dans votre monde, plusieurs plaisanteries mettent en scène saint Pierre, debout à l'entrée du Royaume des cieux, déterminant qui sera admis et qui sera exclu. Eh bien, chers amis, en ce qui nous concerne, cette blague qui circule sur terre n'en est pas vraiment une. Elle recèle une part de vérité bien plus importante que vous ne pouvez l'imaginer. Sachez bien que là où se trouve un portail, une voie d'accès, des qualifications sont requises pour le franchir. Moi, El Morya, Chohan et gardien du premier rayon de la volonté de Dieu au nom du peuple de la Terre, j'appartiens également à ce portail.

La volonté de Dieu, chers amis, est le premier portail à traverser si l'on souhaite continuer d'avancer dans la bonne direction sur la voie spirituelle. À moins d'abdiquer votre ego humain et vos personnalités terriennes au profit de la volonté de Dieu, afin qu'ils soient raffinés et transmués en une substance divine, il vous sera impossible d'aller plus loin sur la voie spirituelle. Et il s'agit seulement du premier portail ; avant d'atteindre les portes de la cinquième dimension, il y en a six autres pour lesquels vous devez vous qualifier en vue de votre ascension personnelle et planétaire.

Afin de pénétrer ce premier portail, vous devez assister aux cours du soir que je donne dans la sphère intérieure, pendant que votre corps sommeille ; ou encore, suivre les enseignements offerts par mes collaborateurs dans la volonté de Dieu, qui ont consenti à me prêter main-forte. Avant de vous diriger vers le portail subséquent, il vous faudra passer les examens que je vous soumettrai à l'état de veille. Plusieurs de ceux qui lisent ce message ont déjà franchi le premier portail en cette vie, ou au cours de la précédente. Quelques-uns en ont même déjà traversé d'autres. Nous déplorons le fait qu'il y ait encore un si grand pourcentage d'êtres humains qui mènent leur vie en préférant « le pilote automatique ». Ils ignorent totalement où ils vont ou la raison de leur incarnation sur terre… et ne veulent pas le savoir non plus. Ils poursuivent leur existence au jour le jour, sans direction consciente, leur esprit et leur cœur éparpillés aux quatre vents ; ils suivent la voie de la facilité et de l'abrutissement spirituel.

À l'aube d'un événement d'une telle magnificence, événement que l'humanité a espéré et désiré depuis des centaines de milliers d'années, il y a encore tant d'âmes précieuses qui ne se sont jamais présentées, en quête de conseils, à l'entrée du portail dont je suis responsable. Moi-même et mon collaborateur Adama, le grand prêtre de Telos, nous nous assemblons pour lancer un dernier avertissement. Nous avons très peu de temps devant nous. Si vous n'êtes pas encore parvenus au portail de la volonté de Dieu, sachez bien qu'il est encore possible pour vous de rattraper ce retard et de passer tous les autres portails « à temps », si vous le décidez à l'instant.

Mais vous n'avez pas une minute à perdre. Il faut vous réveiller maintenant et vous mettre à appliquer consciencieusement les lois spirituelles dans les divers domaines de votre vie. Appliquez les principes de l'amour à toutes les facettes de votre être et laissez tomber toutes vos craintes et idées préconçues au sujet de Dieu. Vous devez être disposés à admettre la vérité, cette vérité que vous refusez d'accepter consciemment. Devenez les dieux que vous êtes, dès maintenant, en appliquant *l'amour-en-action* à toutes vos pensées, vos paroles et vos gestes.

Aux fins de votre processus d'ascension, l'amour est le seul raccourci qui s'offre à vous, la clef suprême.

Cet amour auquel je réfère est l'amour du Soi, l'amour de Dieu et l'amour pour toutes les relations de la Terre et tous les règnes qu'elle abrite – incluant le règne animal. Aimez et respectez tout ce qui respire la vie du Créateur. Aimez inconditionnellement, sans porter aucun jugement. Laissez tomber vos opinions personnelles. Renoncez à la dualité et accueillez la non-violence. Grâce à un cœur rempli d'amour, vous pouvez franchir tous les portails menant à la porte de l'ascension – et à temps. Soyez certains que cela n'arrivera jamais à ceux qui persistent à vivre en mode « pilote automatique ».

Tous ceux qui atteindront la porte de l'ascension auront à subir les épreuves requises pour les sept initiations en vue de se pourvoir des codes d'entrée qui les qualifieront pour l'ascension planétaire. Chacune de ces sept initiations comporte sept niveaux d'épreuves. Autrefois, il fallait plusieurs vies, voire des siècles d'application assidue des lois spirituelles, pour passer enfin quelques-unes ou l'ensemble de ces initiations. En cette époque unique de l'histoire terrestre, une exemption sans précédent a été accordée qui fait en sorte que chaque âme, par un effort sérieux et persévérant, peut y arriver en quelques années.

Moi-même, El Morya, je serai présent, tenant le rôle de saint Pierre que vous connaissez bien, aux côtés de la hiérarchie spirituelle de cette planète et de vos êtres chers, afin de vous accueillir tous au moment de votre « retour à la maison ». Votre ami éternel,

El Morya.

PARTIE III

Messages de Mikos, gardien de la bibliothèque de Porthologos

CHAPITRE QUATORZE

NOTRE HISTOIRE

Mikos, par Dianne Robbins

Salutations à mes compagnons de voyage sur terre ! Quel plaisir de vous retrouver ! Je suis Mikos, et je m'adresse à vous depuis l'intérieur de la Terre creuse, notre chez-nous. Nous sommes installés ici depuis des millions d'années et avons évolué graduellement vers les êtres-divinités que nous sommes devenus. Notre développement a progressé rapidement grâce à l'isolement que nous a procuré la matrice de la Terre-mère.

Étant donné notre situation géographique, toutes nos existences ont pu se dérouler dans la paix et la félicité. Nous vivons ici pacifiquement, en toute sérénité grâce à la proximité des battements de cœur de la Terre-mère. Plus on s'enfonce dans les tréfonds du globe terrestre, plus ses pulsations sont audibles. Et plus on perçoit ses pulsations, plus on résonne avec ses qualités de déesse. C'est pourquoi ce voisinage nous a conduits, au cours des millénaires, à ne plus faire qu'Un avec toute vie et à baigner dans la joie. Même si toutes les créatures vivantes connaissent cette unité, elles doivent encore en faire l'expérience dans leurs corps externes.

Du fait que les battements du cœur de la Terre-mère se répercutent au travers de la planète, ils atteignent la surface ; il vous est alors possible de les ressentir et d'en faire l'expérience. Par contre, afin d'éprouver cette pulsation de vie et de résonner avec elle, il vous faut être en paix. Vos corps externes doivent partager une coordination et une synchronicité mutuelles ; ils doivent tous vibrer à la même vélocité, s'imprégner de la grâce de Dieu et être immergés dans l'unité de la Création. La nuit, quand votre organisme est au repos, il résonne avec la pulsation profonde qui palpite à l'intérieur. *Il n'est possible d'évoluer que lorsque vous êtes dans un état paisible.* C'est pourquoi nous, qui sommes ensevelis dans les tréfonds de la Terre, avons pu progresser : nous étions en synchronicité avec le pouls de la vie et avec nous-mêmes.

Toutefois, il fut un temps où nous étions à la dérive dans l'espace intersidéral ; nous habitions un autre système solaire dans la galaxie de la Voie lactée. À cette époque, nous étions impliqués dans ce que vous appelez aujourd'hui « la guerre des étoiles ». Les gens se livraient de furieuses batailles pour acquérir la suprématie sur ce secteur de cette constellation. Ces combats entraînèrent la destruction de planètes et dévièrent le parcours de certains systèmes solaires. Notre galaxie connut alors une ère de ténèbres. Pourtant, nous aspirions à voir la paix rétablie afin de pouvoir poursuivre notre évolution, et c'est ainsi que nous avons découvert la Terre.

Nous avons quitté notre système solaire pour venir ici, sur cette planète qui était alors peu connue à l'extérieur de sa périphérie. Quand nous y avons atterri à la surface, la splendeur et la tranquillité des lieux nous ont coupé le souffle. Une exploration de ce nouvel astre nous a permis de découvrir l'ouverture de tunnels menant à l'intérieur de sa cavité. Ces galeries avaient été creusées par d'autres civilisations, car l'âge de la Terre est incommensurable et ses sociétés datent d'époques antiques.

Toutes les planètes possèdent des ouvertures aux pôles nord et sud. Nous avons migré par celles-ci et découvert notre petit « nid » à l'intérieur. Le cœur de la planète est si propre, si pur et si paisible, que depuis cette époque nous n'en sommes jamais sortis.

Au cours des âges, nous avons amplifié et amélioré le réseau de galeries menant aux cités souterraines et à la surface, afin de faciliter les déplacements de nos concitoyens et des vôtres. Bien que les tunnels n'aient été que rarement employés par des voyageurs de chez vous, ils serviront prochainement, lorsqu'un nombre croissant d'entre nous se mêlera à vous et que nous nous rendrons mutuellement visite. La face externe de votre planète est donc parsemée d'entrées de tunnels conduisant à nos cités et à leurs agglomérations. C'est ainsi que sont constituées la plupart des planètes de votre galaxie ; les gens se déplacent librement entre le noyau et la périphérie, en vue d'échanger des informations et d'apprendre les uns des autres.

L'histoire de votre Terre couvre des millénaires. Malheureusement, cette historiographie ne rapporte pas toujours des événements paisibles. En effet, une fois que certains peuples eurent découvert votre planète, ils engagèrent de furieuses mêlées dans le but d'acquérir un ascendant sur les autres, de miner la Terre et d'accaparer ses précieuses ressources. Sachez donc que ces ères de profanation sont révolues. Ces individus n'ont plus l'autorisation de pénétrer ce secteur de la galaxie qui s'élève constamment en lumière, à l'image des vagues caressant le rivage. À l'heure actuelle, la lumière afflue inlassablement ici-bas, porteuse de la tranquillité et de la lucidité auxquelles aspirent tous vos peuples.

Depuis des éons, nous, dans les méandres intérieurs de la Terre creuse, avons réclamé une quantité plus importante de lumière, ainsi que le coup de main de la Confédération des planètes, et ce, afin de stopper l'invasion de meutes sanguinaires d'extraterrestres qui parcourent l'espace en quête de planètes riches en ressources comme la vôtre. Aujourd'hui, c'est chose faite.

Sachez que la Confédération a désormais accordé sa pleine protection à notre secteur pour que la vie puisse enfin évoluer en paix.

À l'heure actuelle, toutes les formes de vie sur terre ont opté pour l'ascension. Certaines ascen-sionneront toutefois avec la Terre et avec nous très bientôt, alors que d'autres qui n'avaient pas conscience de leurs choix et n'étaient pas disposées à ascensionner maintenant le feront ultérieurement. Sachez que l'ascension de la Terre est assurée et que tous, nous approcherons géographiquement d'Hélios, notre soleil.

Les peuples de la Terre creuse jubilent parce qu'ils ont constaté l'élévation de fréquence au cours des dernières années. Nous rêvons d'établir une connexion avec vous sur le plan physique, et voilà qu'elle est assurée. Nous pouvons même la « garantir », comme vous dites là-haut. Naturellement, vous êtes nos voisins de l'étage supérieur, mais la profondeur de notre situation géographique n'a pas d'importance. *Car, avec la paix qui envahit la planète, toute forme de vie est certaine de bénéficier d'une évolution rapide qui compensera pour les jours de ténèbres gaspillés.*

L'humanité a bien assimilé sa leçon ; elle a compris la futilité de la guerre et des querelles, et réclame aujourd'hui de mettre un terme à toute cette démence. Et l'épilogue est en vue. Vous êtes témoins des derniers soubresauts.

À partir d'aujourd'hui, vous verrez le mariage des nations, des lieux et des principes, puisque tout se rassemblera en une Terre unifiée. Voilà le jour que Dieu attendait. Le jour pour lequel vos Soi-Dieu ont prié si ardemment, celui où nous entrebâillerons les ouvertures des tunnels pour venir vers vous, vêtus de tenues aux couleurs irisées et chaussés de sandales étincelantes, les bras chargés de cadeaux, de trésors inestimables et de dispositifs aptes à rétablir l'état virginal de votre planète. Comme Adama l'a mentionné, nous sommes tout à fait en mesure de résoudre vos problèmes de pollution et d'éliminer vos maladies en quelques minutes.

Vous êtes nantis de talents prodigieux et d'une intelligence formidable qui ne vous apparaissent qu'aujourd'hui. Plusieurs d'entre vous recouvrent déjà des dons qui leur étaient jusqu'ici voilés, entre autres la télépathie.

Tous, vous êtes doués de cette faculté qui vous permet de communiquer avec nous. Vous ne découvrez que petit à petit le potentiel véritable des humains. Vous êtes en réalité si doués que vous pourriez accomplir tout ce que nous faisons. Parce qu'il fut un temps où nous étions vous.

Nous avons déjà vécu ce que vous traversez aujourd'hui. Mais grâce à notre fuite vers la cavité au centre de la Terre, notre destinée fut progressiste, tout comme la vôtre consistera à évoluer de pair avec l'accélération de la fréquence de la planète. Vos dons innés se révéleront à votre plus grande joie. Une fois que vous aurez atteint une certaine fréquence, votre conscience fera éclater la densité ; vous verrez et saurez alors tout. Nous serons enfin à vos côtés, vous entourant de notre amour.

Nous résidons ici, au cœur de la Terre creuse, entourés de somptueuses richesses dans de superbes palais de lumière. Notre État vous apparaîtrait probablement comme un pays chimérique mais, pour nous, il est tout à fait réel, car il émane de nos propres Soi-Dieu. Nos demeures ont été façonnées à l'intention de dieux et de déesses ; c'est là que nous habitons.

Nous goûtons une opulence telle que même votre imagination ne pourrait la concevoir. L'éventail complet des commodités est à notre portée ; notre environnement dépasse en merveilles tout ce que vous pourriez imaginer. Sises dans une campagne luxuriante, nos habitations ont été construites en vue de s'intégrer à l'environnement naturel ; elles sont ceintes de lacs et de ruisseaux.

Il n'y a pas ici de villes semblables aux vôtres. Nous n'avons que notre « pays », dont les merveilles ne cessent jamais de nous étonner. Les arbres et les fleurs sont éblouissants, ils se parent de teintes et de nuances scintillantes ; ce sont les joyaux qui embellissent nos demeures et nos domaines. Tout ici est « monumental », pour employer vos mots. Même nos arbres et nos montagnes ont deux fois la taille des vôtres. Nos corps aussi sont plus grands et plus volumineux ; en largeur et en carrure, ils mesurent plus du double. Comparés aux vôtres également, nos fruits et nos légumes sont gigantesques. Et ils sont tous biologiques, car nous sommes accordés à la Terre-mère, qui régit personnellement leur croissance.

Nous vivons dans d'immenses palais façonnés de gemmes cristallines et incrustés de joyaux pour la simple raison qu'ils dégagent un champ magnétique et un rayonnement qui alimentent et équilibrent nos organismes ; ils nous emplissent de la force vitale émanant du Soleil central de notre univers. Tous les objets dans nos foyers irradient de la pureté de Dieu et nous accordent à ses vibrations. Car l'amour de Dieu inonde nos maisons ; il est la source de notre opulence.

Tout comme pour Telos, nos demeures de forme circulaires et translucides se marient à la campagne environnante. De l'extérieur, elles voilent parfaitement notre intimité aux regards indiscrets. Une fois à l'intérieur, par contre, il est possible d'apercevoir tout ce qui nous entoure. Ceci donne à notre vision un caractère spacieux et non pas le sentiment « d'enfermement » que suscitent vos résidences à la surface. Non seulement pouvons-nous voir au travers de nos murs, mais nous apercevons aussi, par-delà la Terre, les étoiles dans le firmament. Peu importe où nous nous trouvons dans la Terre creuse, notre champ de vision est illimité et sans obstruction. Nos yeux et nos facultés sensorielles peuvent parcourir librement l'univers entier, même si nos corps demeurent à l'intérieur du globe.

Nos plantations de céréales resplendissent et s'épanouissent dans des champs baignés de soleil et de pluie ; elles nous donnent des récoltes abondantes. Celles-ci font le délice de nos palais et dynamisent nos organismes. Notre nourriture palpite de force vitale qui, une fois consommée, se répand dans toutes nos cellules ; elle est la raison de notre santé impeccable et de notre interminable longévité.

Voilà le secret de la vie, la mystérieuse fontaine de Jouvence que tous vous recherchez. Ce secret se trouve dans la Terre même ; il vous transmettra sa force vitale, si seulement vous consentez à vous conformer aux lois de la nature en ce qui concerne la culture et la récolte des aliments. Il s'agit d'employer exclusivement la nature, de la laisser régir le processus et superviser la croissance. Avec les forces de la nature à votre service, vous n'aurez jamais à fertiliser le sol et vos moissons seront toujours généreuses, autant en quantité qu'en termes d'éléments nutritifs et de goût.

Cette puissance que nous insufflent nos aliments permet à nos corps d'accomplir des prouesses titanesques que vous jugeriez impossibles. Nous pouvons parcourir, à la course comme en marchant, des distances considérables sans nous fatiguer, et nager pendant des heures. Après une journée de travail, nous ne sommes jamais exténués, parce qu'à nos yeux, rien ne constitue du « boulot ». Tout n'est que plaisir et désinvolture. Et à la fin de chaque jour, nous sommes comblés.

Sans aucun doute, nous menons une existence enchanteresse ; nous nous sentons bénis pour plusieurs raisons. Mais cette utopie est le fruit de nos efforts et reste aussi à votre portée. Car votre avenir est reluisant. *Vous êtes sur le point de franchir cette densité pour passer au paradis.* Et cet éden se trouve sur terre. À l'heure actuelle, seule la moitié de la population du globe réside ici, mais bientôt l'ensemble vivra dans ce lieu idyllique auquel vous aspirez tant. Exactement là où vous vivez. Il n'y a qu'à le manifester ici, en faisant appel à votre conscience supérieure. Car le fait d'être au paradis n'est qu'une question de fréquence ; vous vous en approchez rapidement. Nous, de la Terre creuse, saluons votre désir et votre détermination à étendre votre perception et à atteindre la fréquence de l'ascension qui déferle vers la Terre depuis le Soleil central. Dieu/déesse/Père/Mère, l'Alpha et l'Oméga, vous emportent vers votre chez-vous, vers leur matrice d'amour, là où vous demeurerez pour le reste de l'éternité.

Le retour des devas, la nature et vous

Une grande majorité d'humains vivent actuellement dans l'amertume, la pénurie et l'agitation parce qu'ils sont dissociés de Dieu, convaincus de savoir mieux que lui. Vos existences ont été bénies par les trésors et l'abondance de la Terre, et malgré tout, vous vous êtes détournés de celle-ci ; dans votre mépris, vous avez eu recours à des méthodes agricoles de votre cru au lieu de celles propres à mère nature. La Terre-mère a toujours produit une profusion de récoltes à l'intention de ceux qui collaboraient avec elle, en faisant appel au principe naturel de la rotation des cultures et à celui de retourner le sol sur lui-même et de le laisser reposer afin qu'il recouvre et régénère ses éléments nutritifs. En semant sans cesse les mêmes denrées, imbibées de fertilisants et de substances chimiques toxiques, vous supprimez le capital en nutriments de la Terre et produisez des moissons dépourvues de valeur nutritive et de force vitale.

Vos ancêtres ont toujours collaboré avec les devas, les gardiens du sol ; et par leur collaboration qui laissait à la terre le soin de gérer et de prendre les décisions pour la croissance des cultures, les rendements étaient toujours bons – non, en fait ils étaient excellents – et débordaient de la force vitale pulsant dans chaque atome. C'est cette force vitale imprégnant chaque atome et chaque cellule, cette pulsation, ce frémissement, qui constitue l'élixir immortel. Il détient le secret de la jeunesse éternelle.

Voici une très bonne nouvelle : les devas reviennent sur terre après une longue absence et portent discrètement secours aux quelques personnes qui se tournent vers eux afin de restaurer le sol et l'enrichir de nutriments qui nourriront et sustenteront les cellules de vos organismes humains.

Ce sont des êtres magnifiques et ils souhaitent collaborer avec tous les humains, qu'ils se livrent à l'agriculture, ou simplement au jardinage. Ils désirent rétablir un partenariat avec vous, pour qu'ainsi tous puissent apprendre la magie du sol, celle des semailles et des moissons, l'enchantement de faire pousser sa propre nourriture, dans sa propre région et pour sa consommation personnelle. *Les aliments qui sont acheminés depuis des régions exotiques ou des contrées lointaines ne vibrent pas avec votre environnement local ni avec votre pouls individuel.*

Tout est un reflet de votre environnement immédiat, incluant l'aura qui vous entoure ; et tout ce que vous touchez ou ce dont vous approchez incorpore vos atomes pulsants ; ceux-ci deviennent à leur tour partie du sol et de la vibration de ce que vous faites pousser. Ne croyez-vous pas que vous seriez en meilleure santé si vous n'absorbiez que ces atomes vibrant dans de la nourriture provenant de vous et de la communauté avec laquelle vous résonnez, plutôt que d'une localité inconnue avec laquelle vous n'êtes pas en synchronie ? Il y a tant de choses auxquelles il faut songer ici ! Il y a beaucoup à comprendre à propos de la nature de l'existence, sur la manière dont nous nous adaptons à la région où nous vivons et sur le comment nous devenons cette région. Nous participons de l'environnement où nous vivons, tout autant que les récoltes qui y croissent.

Voici une information qui en surprendra plusieurs : *le fait d'ingérer des aliments qui ne proviennent pas de votre entourage immédiat déroute complètement les cellules de l'organisme, parce qu'ils ne résonnent pas avec votre mode de vie ni avec vos pensées et vos sentiments.* Au contraire, vous vous imprégnez des pensées et des sentiments d'autrui, vous les « ingérez », et ils deviennent vôtres. Vous ignorez les périls et les incompatibilités qui en découlent pour votre système digestif et le fonctionnement général des organes de votre corps, pour vos hormones de croissance, vos glandes, en réalité, pour tout ce qui fait que vous êtes « vous ». Le fait d'absorber les pensées d'autres gens peut occasionner des peurs et des phobies qui ne vous appartiennent pas… et par la suite vous vous demandez d'où cela peut bien venir.

Sachez que, pour jouir d'un corps vigoureux et en santé, il faut le nourrir le plus possible de denrées provenant de votre propre communauté. Ceci accroîtra votre force vitale et équilibrera vos pensées et vos émotions, car elles renforceront vos désirs et vos rêves – qui typiquement représentent la conscience collective d'une communauté.

Voilà pourquoi votre monde est complètement déphasé ; il n'est pas en harmonie avec la nature. Faites appel aux devas, priez-les de revenir, dites-leur que vous voulez apprendre d'eux et travailler en collaboration avec eux afin de rétablir la vitalité dans le sol et dans vos corps. En l'absence de cette force vitale, vos corps périclitent et se rident ; en dépit du fait que vos cellules sont censées rester jeunes et ne jamais se flétrir, elles n'ont pas la force vitale qui leur permettrait de se sustenter.

La civilisation contemporaine s'est graduellement éloignée du sol, des arbres et des animaux. Elle s'est claquemurée dans une tour d'ivoire technologique dépourvue de fenêtres ouvrant sur son environnement. Elle a fermé la porte à la communion avec la nature et se demande pourquoi elle se sent si isolée, si dépossédée, malgré tout l'argent dont elle dispose.

Habitants de la Terre, nous vous enjoignons de retourner à la nature. Elle vous conjure de revenir à l'unité avec elle et de suivre les traces de vos ancêtres, les Amérindiens, qui estimaient que la terre faisait partie d'eux, qui vivaient avec la nature, lui rendant hommage et vénérant son exubérance, qui apprenaient d'elle et adoptaient toujours ses méthodes pour faire pousser leurs cultures sans jamais la contraindre à aller contre elle-même.

Passez du temps dehors, sortez de vos maisons. Éternisez-vous sous un arbre ou à vous balader dans la forêt ; vous serez en mesure de constater à quel point la force vitale vous envahit, vous dynamise et équilibre votre corps émotionnel. *La nature est un puissant antidote contre tous les maux de la société – et elle est gratuite ! Inutile d'aller voir un médecin pour une ordonnance ; les arbres vous l'accorderont sans frais.* À quoi croyez-vous qu'ils servent ici ? De simples décorations dans le paysage ?

Les arbres sont des êtres majestueux d'un degré d'évolution bien supérieur à ce que vous imaginez. Et ils attendent que vous reconnaissiez qu'ils sont les sentinelles du territoire, tout comme les Cétacéens sont les vigies des océans. Les arbres fournissent l'oxygène dont vous avez besoin et absorbent les polluants que vous rejetez dans la nature. Et que faites-vous pour payer de retour ce don de vie ? Vous les abattez, les écartez de votre chemin ou ne leur prêtez aucune attention. Ils rêvent de communiquer avec vous, ils voudraient sentir votre toucher et vous enlacer de leur amour et de leur énergie. Allez vers eux, parlez-leur, asseyez-vous près d'eux ; car ils montent la garde devant vos maisons et dans vos communautés, et protègent vos vies. Adressez-leur la parole et ils vous répondront. Ils attendent depuis des éons que les humains rétablissent la connexion avec eux.

La nature vous affranchira. Vous retrouverez votre équilibre, vous recouvrerez votre volonté de rêver et de reconstruire vos vies en accord avec les lois de la nature, et non avec celles de l'homme.

Nous, dans la Terre creuse, ne faisons qu'un avec la nature, un avec toute vie et un avec Dieu. C'est pourquoi nous jouissons de si longues existences et d'une santé impeccable. Nous savons que nous faisons tous partie de notre planète et qu'elle est une partie de nous. Quand nous collaborons avec la nature, nous travaillons à l'unisson. Si nous ne lui portons pas attention, c'est nous-mêmes que nous méprisons. C'est là une loi universelle qui s'avère primordiale à notre survie en tant qu'espèce.

Nous attirons votre attention sur ce point, afin que vous puissiez protéger votre planète et ainsi avoir un foyer où évoluer. *Puisque vous n'êtes pas capables d'évoluer dans l'espace, pourquoi donc détruisez-vous votre chez-vous si manifestement ?*

Je suis Mikos, un résidant de Catharia et votre ami du plus profond de mon cœur. À mesure que referont surface vos souvenirs à mon sujet, vous vous rappellerez de notre vieille complicité, quand vous étiez encore incarnés ici, dans la Terre creuse. Je vous souhaite une bonne journée.

CHAPITRE QUINZE

LA BIBLIOTHÈQUE DE PORTHOLOGOS, SOUS LA MER ÉGÉE

Mikos, par Dianne Robbins

Notre bibliothèque détient les annales de l'univers

Salutations du centre de la Terre ! Je suis Mikos. Je vous entretiens de la bibliothèque de Porthologos, située dans la terre creuse sous la mer Égée.

Par définition, je suis assez âgé, car j'ai déjà vécu plusieurs siècles dans le même corps. Ma responsabilité première est de compiler, sous forme d'archives, toute l'histoire de la Terre dans cette bibliothèque. Je préserve, si vous voulez, son historique.

Cet endroit est immense et contient non seulement les archives de la Terre mais celles de tout l'univers. Nous pouvons y étudier l'histoire des planètes et des systèmes solaires et apprendre tout ce qu'il y a à apprendre sur la vie. Telle est sa capacité.

Non seulement nous pouvons lire sur ces sujets mais nous pouvons aussi expérimenter directement en utilisant des cristaux qui gardent en mémoire tous les événements. En ayant accès à cette connaissance, nous pouvons régler facilement nos problèmes en tenant compte de toutes les personnes concernées.

Dans son périmètre, elle comporte des mini-cinémathèques où l'on peut sélectionner et visionner en tout confort n'importe quelle actualité ou n'importe quel fait survenus sur terre ou dans notre univers à une époque ou l'autre. Voilà l'authentique cinéma-vérité : des personnages réels jouant leur rôle au cours d'un événement spécifique dans le temps. C'est la meilleure école sur les événements dans notre galaxie. Cette méthode permet de donner vie à l'histoire de l'humanité, de la rendre captivante en amenant les étudiants à y participer, à la ressentir et à l'expérimenter. C'est un mode d'apprentissage des plus efficaces.

Comparés à nos méthodes pédagogiques, vos cours d'histoire sont monotones et soporifiques, ce qui explique que les élèves perdent intérêt et soient distraits en classe. En outre, votre information est fallacieuse, car elle est fondée sur les théories ou les préjugés d'une personne et non sur les faits réels. Vous apprécieriez notre bibliothèque ; elle fait des études une aventure exaltante. D'ici quelque temps, d'autres informations vous parviendront à propos de cette magnifique bibliothèque.

Mais il ne faut jamais oublier que la bibliothèque vivante du savoir se trouve également en vous. Depuis ce point d'accès à l'intérieur de vous, vous avez à votre portée la somme de toutes les connaissances existantes. Il n'est pas nécessaire de feuilleter un livre tangible ; vous n'avez qu'à tourner les pages de votre âme pour redécouvrir toute la sagesse et la totalité du savoir qui ont jamais été et qui seront jamais.

La Terre est la vitrine de la Voie lactée

Nous vivons des temps remarquables. Jamais encore la Terre n'a connu pareille époque. *Vous découvrirez bientôt d'anciens savoirs occultés, des planchettes et des écritures archaïques qui vous rappelleront votre héritage et vous affranchiront des vicissitudes de l'existence.*

Tout dans votre monde s'agite. Dans les royaumes intérieurs, là où tout n'est que lumière et amour, nous observons, éblouis, les humains qui s'éveillent en nombre croissant à l'appel de leur âme, qui optent pour la paix, la vie et tout ce qui constitue leur droit de naissance. La Terre est la vitrine de la Voie lactée, car elle emporte toutes les créatures vivantes vers le cœur de Dieu, afin qu'elles soient réunies en une grande vague d'ascension.

Nous éprouvons à votre égard une affection profonde. Nous savons de quoi vous rêvez et connaissons votre soif de mener une vie paisible et prospère. Joignez-vous à nous pour explorer à fond tout ce qui existe et tout ce qu'il vous est possible de réaliser. Sachez simplement que cette exploration part de vous ; inutile d'aller où que ce soit.

Il est possible de scruter les abysses de votre âme et de l'univers à partir de là où vous êtes. Nul besoin d'un quelconque déplacement physique. Vous n'avez qu'à faire appel à nous, et nous vous y mènerons. Parce qu'une fois que vous fusionnerez votre conscience à la nôtre, nous ne ferons plus qu'Un. Et vous pourrez voyager en notre compagnie. Nous franchirons ensemble les frontières extrêmes de l'espace et les confins les plus profonds de votre âme. Et nous pourrons nous unir en une seule conscience et filer vers les étoiles.

La joie de nous connecter avec vous aujourd'hui illumine nos cœurs ; c'est aussi un plaisir de savoir que nos paroles se diffuseront aux populations de la surface pour qu'elles comprennent enfin que leur condition est réversible et peut se transformer instantanément en la beauté et la lumière.

Je suis Mikos.

CHAPITRE SEIZE

NOS ALLÉES ET VENUES PAR LES OUVERTURES AUX PÔLES

Mikos, par Dianne Robbins

Notre station spatiale se situe à l'intérieur de la Terre creuse, alignée directement sur les ouvertures aux pôles nord et sud. Contrairement à vous, nous ne sommes pas captifs de cette planète, mais pouvons aller et venir à notre guise. Nos déplacements ne sont pas entravés : nous pouvons voyager comme bon nous semble de par l'univers. Notre monde n'est pas sujet aux contraintes physiques, car nous appliquons les lois universelles de l'énergie et faisons usage des autoroutes déjà tracées partout dans le cosmos. Tout est cartographié, si bien qu'il est impossible de se perdre ; et tout ce qui existe est en communication constante avec tout. Il n'y a qu'à faire appel à ce réseau « vivant », qui émet sans interruption, pour le parcourir sans effort. Nous ne sommes pas isolés du reste de la vie dans l'univers comme vous l'êtes, et nous ne sommes pas non plus restreints dans nos déplacements.

En conscience, vous êtes ici, tout comme nous, à l'intérieur de la Terre. La conscience est un « lieu » plus tangible encore que vos sites physiques. Bien sûr, vous êtes installé à votre bureau à la surface, prenant connaissance de ces propos, mais en conscience, vous êtes avec nous au centre de la Terre creuse. Vous vous trouvez littéralement en deux endroits à la fois. Comprenez-vous maintenant ce qu'est la multidimensionnalité ? Puisque vous voilà simultanément ici et là-bas, nous allons vous faire visiter notre chez-nous. Si vous scrutez le panorama de la surface, vous y découvrirez les ouvertures aux pôles. Celles-ci sont d'une largeur suffisante pour permettre le passage de vaisseaux intergalactiques. Vous pourrez aussi « voir » notre station spatiale, dont le périmètre qui s'étend sur plusieurs centaines de kilomètres est parsemé de fleurs, d'herbes, de buissons, d'arbres et de cascades d'eau. Rien à voir avec vos aéroports de béton, stériles et sans vie. Nos aires d'atterrissage sont des jardins paisiblement sertis au sein de notre environnement, jardins qui servent à l'arrivée de vaisseaux spatiaux et de navettes intergalactiques.

Le passage des engins est à peine perceptible, car ils n'émettent pas de bruits agressifs ; on entend à peine leur décollage ou leur atterrissage. Ils se déplacent en harmonie complète avec notre vibration d'amour, dans un silence absolu. Leur vol gracieux nous apparaît au cours de leurs allées et venues au travers des pôles. Ils ne causent pas davantage de perturbations. Ils ne produisent ni son ni vibration, ne polluent aucunement et ne détruisent pas l'environnement. C'est tout à fait différent de vos aéroports à la surface, n'est-ce pas ?

Il n'y a jamais d'écrasement, car nos ordinateurs à acides aminés surveillent chaque composante des vaisseaux ; nous sommes ainsi en mesure de détecter et de rectifier tout problème sur-le-champ. Notre technologie est bien supérieure à la vôtre, car nos conditions de vie paisibles nous ont laissé le loisir de la développer continuellement au cours du dernier millénaire ; en effet, nos existences ne sont pas interrompues par la mort. Voilà pourquoi il est si crucial que vous atteigniez l'immortalité. Plus longtemps vous vivrez dans le même corps, plus vous pourrez développer vos talents et vos technologies, plus vous créerez et raffinerez au lieu d'avoir à tout refaire à chaque nouvelle vie. Toutes ces interruptions et ces reprises ne vous mènent nulle part. Il vous faut chaque fois « réinventer la roue », sans jamais dépasser ce stade. C'est ce que l'on nomme la stagnation dans l'évolution, le fait de n'arriver à rien.

Mais ce cycle s'achève, car le Dieu Père/Mère de cet univers a formulé un édit stipulant que la Terre doit évoluer ; elle ne peut plus retenir le reste de la galaxie. Toutes les autres planètes de votre système solaire ont déjà ascensionné, et l'ensemble de la Voie lactée n'attend plus que la nôtre. Désormais, il ne sera plus permis aux traînards de retarder notre Terre. Les lambins s'incarneront dorénavant sur une planète isolée ; on ne les autorisera plus à entraver l'évolution d'une espèce, d'une planète, d'une galaxie ou d'un univers. C'est ce que stipule l'édit en provenance de notre Soleil central, l'alpha et l'oméga.

Vous connaîtrez bientôt une félicité qui exclura toutes les forces et entités négatives, car celles-ci auront quitté votre univers par la mort. La longue période de souffrance s'achève ; vous serez enfin libres de vivre comme vous êtes censés le faire. Vous pouvez ressentir dès maintenant ce bonheur, cette anticipation, et l'assimiler à votre vie, car il est déjà présent et s'accroîtra de jour en jour. Contemplez quotidiennement votre monde avec les yeux de l'amour et sachez, au fond de votre cœur, que c'est là l'avenir de la Terre.

Je suis Mikos, et je diffuse sans cesse de l'amour vers vous.

CHAPITRE DIX-SEPT

VOUS POUVEZ STOPPER LE TEMPS

Mikos, par Dianne Robbins

Aujourd'hui, nous parlerons du temps et de son caractère fugace. À la surface, vous dénombrez les jours, les minutes, les secondes, vous les enregistrez dans votre corps, convaincus que le vieillissement reflète le passage du temps. Avec le temps qui s'écoule, les gens avancent en âge. Avec le temps qui passe, les édifices tombent en ruine. Voilà ce qu'est le temps à la surface. Pourtant, ce n'est qu'une illusion. Le temps n'existe pas – il ne peut pas exister. Nous en sommes les preuves vivantes : nos corps ne vieillissent point, nos édifices ne sont pas sujets à la dégradation. Cela signifie-t-il qu'à l'intérieur de la Terre, on ne connaît pas la notion de temps et que ce concept appartient uniquement à la surface ? On dirait bien que oui, n'est-ce pas ? Nos existences constituent pourtant le témoignage flagrant qu'en dépit du passage du temps, le corps peut rester jeune. Vous mesurez le temps par rapport au vieillissement, mais il n'en est pas ainsi en ce qui nous concerne. Cela signifie-t-il que pour nous, le temps s'immobilise ? N'est-ce pas plutôt que votre méthode de mesure est inadéquate ?

Si vous ne considériez pas le passage des jours et des années comme une avancée en âge, alors vos corps ne dépériraient pas. Si pour vous les jours et les années correspondaient plutôt à des révolutions autour du soleil, plutôt qu'à l'avancée en âge, alors avoir 30 ans équivaudrait à 30 rotations autour du soleil plutôt que 30 années passées sur terre. Les rotations autour du soleil ne constituent pas un facteur de sénescence, mais plutôt « le nombre d'années ». Vous n'avez donc qu'à désigner les faits différemment : « rotations » au lieu de « nombre d'années », et vous atteindrez à l'immortalité. Ce n'est qu'une question de conception et de terminologie. Vos paroles et vos pensées engendrent cette réalité.

Dans la Terre creuse, nous sommes bien conscients que la vieillesse n'existe pas, parce que nous n'en avons jamais été témoins. Nous savons pertinemment qu'il n'y a rien de semblable à votre idée du temps, parce qu'ici, tout repose dans un état de perpétuelle jeunesse et de fraîcheur. Les choses gardent la même apparence qu'au début de leur création, et il en va de même pour nos corps. Nous passons nos jours dans une perfection divine, dans un environnement hors du temps.

Nous ne sommes jamais pressés ni jamais en retard et nous n'avons jamais besoin de « tuer le temps », comme vous. Avez-vous remarqué comme cette expression vous est chère ? Le temps est-il un ennemi qu'il vous faut liquider aussitôt que vous en avez un peu en surplus ? Vous vous assurez d'occuper tout le temps dont vous disposez, pour qu'ainsi la fin arrive rapidement et que vous n'ayez pas à « sentir » quoi que ce soit. Vous vous agitez, vous regardez filer les années de votre vie en espérant que celle-ci s'achève sans que vous n'ayez perdu une minute. Que feriez-vous donc de ce temps en trop ? L'idée même vous angoisse, car vous auriez ainsi le temps de « sentir » ce que vous êtes, de « sentir » votre vie, et « sentir », c'est ce que chacun souhaite éviter à tout prix. C'est pourquoi, si vous n'avez pas eu une minute de libre quand s'achève la journée, vous avez réussi à éviter de « ressentir », et à mener ainsi une existence d'automate.

Vous pouvez stopper le temps. Mettez-vous simplement à l'écoute de vous-même à chaque instant, perpétuez cette sensation, cette conscience de vous-même. Vous êtes réellement en mesure d'allonger votre « temps », de faire durer votre jeunesse, sans toutefois vous empêtrer dans le temps. S'il se met à vous filer entre les doigts, faites une pause pour le récupérer en vous mettant profondément à l'écoute de vous-même en l'instant même. Ce n'est qu'une question de perception. Si vous vous perdez dans les activités de la journée, vous aurez gaspillé une partie de votre vie. Si vous êtes conscient de vous-même tout au long de la journée, vous acquérez l'immortalité, car vous vous centrez dans le présent.

Vous apprécieriez notre mode de vie insouciant, tranquille, harmonieux. Nous avons le loisir de réfléchir et de discuter entre nous avant de prendre des décisions. Nous ne sommes jamais poussés à choisir en raison d'un manque de temps ou d'une échéance. Ce sont là des obstacles que vous avez tous concoctés à la surface ; ici-bas, nous en sommes tout à fait exempts.

Des anges sur terre

Vous savez sûrement qu'il y a des anges sur terre et qu'ils œuvrent auprès de l'humanité. Il s'agit d'immenses êtres de lumière issus de divers systèmes stellaires, qui sont de passage sur terre afin d'aider à introduire les formidables vagues de lumière descendant sur cette planète. Ces personnages – que vous nommez habituellement « anges » – sont les assistants de Dieu dans le cadre de l'évolution de la race humaine. Ils disséminent leur lumière et leur sagesse à la surface de ce globe terrestre, et enferment les points de ténèbres jusqu'à ce qu'ils se résorbent dans la lumière. Les anges sont porteurs d'amour et de lumière, et ils sont ici en très grand nombre.

Et vous, chers lecteurs, chers artisans de la lumière, êtes ces anges. Vous êtes ces vastes créatures célestes venues des confins de l'espace pour seconder la Terre et l'humanité ; mais voici que vous avez à votre tour besoin de soutien. Un ordre divin d'importance vient d'être émis à l'intention de tous les artisans de la lumière sur terre ; cet ordre autorise les Bataillons célestes à intervenir afin de guérir, à fond et entièrement, vos corps physiques pour que vous puissiez affronter les bouleversements climatiques et géologiques imminents. À l'unisson, vous avez sollicité une aide, vous avez demandé une guérison physique et maintenant, les secours vous ont été accordés.

Dans un rebondissement magique, un régiment complet des cieux et du Dieu Père/Mère de cet univers a approuvé à l'unanimité ce décret, par reconnaissance pour le dévouement et les sacrifices de tous les artisans de lumière de la Terre. Voilà le moment venu : il est temps de guérir tous les aspects de votre être et de manifester la force physique, la santé, l'acuité mentale et l'équilibre émotif. C'est là le don des cieux à son « équipe au sol ». Au fil des jours et des semaines, vous verrez votre dynamisme augmenter et les vieilles souffrances vous quitteront, comme de vieilles carapaces après la mue. Vous percevrez et ressentirez les choses de plus en plus clairement et vous vous centrerez davantage sur le monde invisible qui vous entoure. C'est là un don sans précédent, et la décision de l'accepter vous revient.

Donc, chers artisans de lumière, vivez chaque jour pleinement, plongez dans le moment présent et sachez que demain repose entre les mains de Dieu. Vous n'avez rien à craindre, car le plan divin est déjà accompli ; ce qui surviendra n'est que la dernière manche de la joute. Tout est prêt pour la grande envolée vers les domaines supérieurs de lumière qui attendent votre venue. En quittant votre ancien monde et en entrant dans le nouveau, des merveilles vous attendent. Revêtez donc l'armure de la résolution et sachez que tout ce qui participe de la lumière est promis à un avenir glorieux – dans l'espace d'une respiration, la prochaine inhalation profonde de Dieu.

Ici dans la bibliothèque de Porthologos, nous avons réussi à préserver notre santé, notre dynamisme et notre jeunesse grâce à l'enveloppe protectrice de la croûte terrestre. Bientôt, vous serez aussi en mesure de réaliser les mêmes prodiges physiques et vous acquerrez l'endurance dont nous jouissons. Nous ne sommes jamais fatigués, malades, irrités ou préoccupés ; bientôt, il en sera de même pour vous. Car ces états ne relèvent pas de la vie – ils sont illusoires. Ils ne font pas partie d'un système propice à la vie. Votre système actuel ne favorise pas la vie, c'est pourquoi vous souffrez de la maladie, de l'angoisse et de la mort. Il a été décrété que ce type de système doit disparaître. On l'emprisonnera, il sera mis en quarantaine, tels des malades confinés à une chambre séparée. Simplement, cette fois-ci, tous les malades seront rassemblés dans une salle à part, et il leur sera impossible de contaminer les autres. La race humaine n'aura plus à subir leur contrôle destructeur.

Je suis Mikos.

CHAPITRE DIX-HUIT

Les cristaux

Mikos, par Dianne Robbins

La Terre est elle-même un cristal

Bonjour à tous. Encore une fois, c'est un plaisir de vous retrouver. Nous vous entourons tous en synchronicité, diffusant vers vous notre amour et vous protégeant de notre aile protectrice.

Aujourd'hui, il sera question des cristaux que contient la Terre. Ces pierres possèdent beaucoup plus de qualités que celles que vous percevez par votre vision ordinaire, car ce sont des êtres vivants. Elles sont constituées d'une pure conscience qui garde le souvenir de Tout ce qui est. Elles conservent littéralement les événements du monde.

L'énergie des cristaux est ce qui fait vibrer la Terre, votre corps et vos cellules. C'est la force vibratoire de l'univers qui rassemble toute vie en un seul pouls. Nos pulsations, et celles de toute forme de vie, palpitent en accord avec la vibration, car c'est elle qui bat dans le cœur de toutes les créatures vivantes, animées ou inanimées. Bien que nous considérions les cristaux et les pierres comme des objets inanimés, ils possèdent une fréquence qui est en synchronicité avec la Terre. Et quand nous tenons un cristal dans la main, il règle avec précision notre connexion et notre pouls à celui de la Terre – la mère de la vie ici-bas.

Nos pensées sont des pulsations d'énergie émanant de nous sous forme d'ondes qui sont en accord avec notre environnement, ou désaccordées, selon notre vibration. Puisque la presque totalité de la planète est à l'heure actuelle déphasée d'avec les forces de la nature, il vous est possible de vous remettre au rythme de la nature en vous entourant de cristaux et en les disposant partout dans la maison.

Le fait d'avoir à la main un cristal quand vous méditez est le meilleur moyen de garantir que votre énergie est bel et bien en harmonie avec la Terre. Et quand elle l'est, vous devenez alignés avec ses grilles magnétiques et avez accès à « Tout ce qui est », car « Tout ce qui est » afflue perpétuellement vers elle et vers vous-mêmes, à condition que vous soyez accordés à sa fréquence. Nous espérons que cela vous aidera à comprendre l'importance de garder des cristaux dans votre demeure et de les emporter avec vous quand vous sortez ; portez-les autour du cou, mettez-les dans vos poches ou votre sac à main. Ils émettent un champ lumineux protecteur résonnant tout autour de vous et que rien ne peut pénétrer à moins d'être à cette fréquence.

Les cristaux sont très similaires aux arbres ; en ce sens, ils attendent aussi que vous les reconnaissiez en tant « qu'êtres vivants » cependant moulés dans une forme minérale. Ils sont désireux de communiquer avec vous et de faire partie de votre vie. Ils ont tant à vous offrir ! Ils augmentent votre vibration à des taux où vous ne ressentez plus la densité tridimensionnelle et accédez à des niveaux de conscience transcendant la troisième dimension, à des degrés de perception supérieure – là où toute la vie attend votre venue pour que vous puissiez enfin « voir et sentir » par-delà vos cinq facultés sensorielles et faire l'expérience de la multidimensionnalité, votre nature véritable.

Voilà comment nous opérons à l'intérieur de la Terre. Sans cesse en résonance avec nos cristaux et accordés à leur fréquence – la seule que nous connaissons –, nous sommes capables d'extérioriser notre multidimensionnalité ici-bas. Habitant en permanence son courant cristallin, nous pulsons continuellement avec notre environnement de quartz, au rythme du pouls de la Terre-mère. Vous aussi pouvez vous synchroniser à notre « pouls » en vous mettant à l'écoute du noyau cristallin de la planète et en gardant des cristaux à la maison et dans vos poches.

Partout, toute vie ne forme qu'un seul vaste flux d'énergie lumineuse cristalline. Les planètes synchronisées sur ce courant appartiennent à la lumière ; celles qui sont hors de ce flot sont discordantes et déséquilibrées par rapport au reste de l'univers. La Terre rehausse peu à peu son taux vibratoire et, puisque l'énergie qui vous parvient désormais du Soleil central s'accélère, votre propre taux vibratoire fait de même. Et il s'accélérera jusqu'à ce que vous pulsiez encore une fois en synchronicité avec notre univers. Ce pouls sera d'une puissance exceptionnelle et propulsera notre univers entier dans un vaste état de conscience ultra-multidimensionnel allant bien au-delà de son état de conscience actuel et de tout ce que quiconque résidant en cet univers a connu jusqu'ici.

Mêlez-vous avec nous en conscience : laissez vos cellules résonner avec les nôtres par le simple fait de nous imaginer, de nous visualiser et de songer à nous. Il s'agit de connexions bien réelles, malgré que le produit de votre imagination soit encore considéré comme inexistant. *En réalité, seul votre imaginaire vous propulse vers des états de perception supérieurs, là où résident d'autres formes de vie.* Il est vraiment possible de « voir » des fées, des gnomes, des lutins et des devas en les évoquant, mais votre imagination est encore l'une de ces facultés qu'il vous faudra bientôt récupérer et à laquelle il vous faudra faire appel plus souvent. Et ce, jusqu'à ce que vous ayez imaginé ou retrouvé tout ce que vous aviez oublié.

Vibrez donc à notre fréquence, sentez nos cœurs se fusionner aux vôtres, jusqu'à ce qu'ils ne forment plus qu'Un. Voilà comment vous traverserez d'infinies étendues d'espace tout en étant avec nous en conscience. C'est le mode de déplacement le plus rapide connu.

Présentement, nous sommes installés dans une pièce de la bibliothèque de Porthologos donnant sur le firmament étoilé qui nous surplombe, silencieux. Parce que, même si nous sommes situés sous la terre, nous sommes capables d'avoir simultanément une vue d'ensemble de l'univers. Nos cœurs et notre mental sont à l'écoute du Créateur, la source de toute unicité et la jonction reliant toute vie.

Nous chérissons tendrement notre Terre ; puisque nous habitons en son sein, nous sommes au courant de toute la connaissance ayant jamais existé et de tous les événements survenant actuellement à la surface ainsi que dans d'autres systèmes solaires de notre galaxie. Nous captons et enregistrons ces événements sur nos projecteurs à cristaux et les classons pour les sauvegarder dans notre bibliothèque bien garnie.

D'après vos standards, nos annales seraient d'un âge canonique, vos existences étant si brèves comparées aux nôtres. Par contre, ces événements « antédiluviens » se sont déroulés durant nos vies, puisque nous sommes vieux de plusieurs éons au cours desquels nous avons occupé un même corps. Voilà qui nous donne un point de vue différent sur la vie – un point de vue qui révère la Terre et toute vie partout, et leur rend hommage. Pour avoir vécu pendant tant et tant d'ères ayant eu cours à la surface, nous avons vu et compris l'interconnexion de toute vie partout.

Comme il a été mentionné plus haut, les cristaux sont des êtres très évolués dont la mission est de consigner tout ce qui survient sur la planète afin que ceci puisse être rejoué sur nos projecteurs à cristaux et que l'on puisse apprendre de ces événements. Car toute vie se voulant une expérience d'apprentissage, comment pourrions-nous apprendre et progresser en l'absence de la sagesse et de la connaissance accumulées naguère ?

Vos bouquins sont remplis d'informations mensongères compilées au travers du filtre des opinions, croyances et théories des humains qui ont peu à voir avec les faits ou conditions véridiques.

C'est pourquoi tout ce que vous apprenez ne vous permet pas de saisir la véritable nature de la Terre, de l'univers ou de vous-mêmes.

Si jamais nous désirons apprendre quelque chose et le mettre en pratique dans notre vie, nous nous rendons dans la salle des enregistrements sur cristaux et repassons la séquence d'événements qui nous donnera la possibilité d'assimiler la sagesse et les enseignements dont nous avons besoin pour régler un problème, approfondir notre compréhension des faits ou de notre existence. C'est là un point important pour vous, nos frères et sœurs terriens, car vous aussi devez avoir accès à cette information pour comprendre à quel point vos gouvernements ont mal géré les ressources de la Terre et vous ont maintenus dans une lutte pour la survie depuis des éons. Vos existences sont contrôlées et votre liberté est restreinte à un point tel que vous ne vous en apercevez même pas, puisque vous n'avez jamais connu d'autre condition. C'est ce que vous appelez « la démocratie » et ce que vous considérez comme la liberté.

Comment a-t-on pu arriver à vous voiler la vérité, à vous écarter de la lumière de l'univers et à vous emprisonner sur cet îlot flottant dans l'espace ? En dépit du fait que vous ne voyez rien au-delà de vos frontières, ni n'entendez l'appel de la Terre, ni ne ressentez l'amour des arbres quand vous vous précipitez de par votre mode de vie frénétique, sachez que l'ensemble des êtres vivants, partout, connaissent vos épreuves et se portent à votre secours. Ils cherchent à vous réveiller de cet obscur sommeil prolongé pour que vous puissiez retrouver la mémoire consciente de qui vous êtes, de votre raison d'être ici et du rôle important que vous avez à jouer pour extirper la Terre de sa densité et la conduire à un domaine de lumière supérieur où vous goûterez directement la liberté véritable.

Toutes les « classes sociales » de la Terre creuse s'entourent de cristaux ; ceux-ci se trouvent partout où nous allons. Nos habitations, nos véhicules, nos bureaux, nos édifices culturels, tout est fabriqué de gemmes et entouré de cristaux. Nos constructions scintillent littéralement de lumière argentine et l'éclat de notre corps s'amplifie à mesure que nous progressons vers l'avant. Car l'amour, la sagesse et la lucidité sont lumière – et plus vous contenez de lumière dans votre être, plus resplendit votre clarté.

Je suis Mikos et vous souhaite une bonne journée.

Les cristaux et la technologie

Adama, par Aurelia Louise Jones

Bonjour, je suis Adama et j'aimerais aussi partager avec vous quelques informations concernant ces êtres merveilleux du monde minéral.

Ils se présentent sous de nombreuses formes et dimensions et sont aussi doués d'une grande intelligence et d'une conscience. Vous le comprenez, maintenant ! Ils évoluent et se développent afin de vous servir, notamment lorsque vous vous trouvez dans votre conscience christique ou divine. Dans votre conscience tridimensionnelle, votre connaissance et votre perception des cristaux sont très obtuses.

Les cristaux dans les quatrième et cinquième dimensions sont plus légers, plus clairs et beaucoup plus lumineux, parce qu'ils sont capables d'absorber et de contenir davantage de lumière que les vôtres. Quand vous atteindrez ces dimensions, ils seront susceptibles d'adopter n'importe quelle forme, grosseur, vibration ou couleur, au gré de vos besoins. Il vous sera possible de les manifester selon votre bon vouloir et ils ne vous coûteront plus une petite fortune. Ils se révéleront selon votre quotient d'amour et de lumière, et si vous faites un usage opportun des ressources que Dieu met à votre disposition.

Les cristaux seront aussi la source première d'énergie qu'utilisera la technologie avancée qui vous sera accordée lorsque vous viendrez dans nos habitations à l'intérieur de la Terre. Ils vous seront utiles pour voyager partout dans cet univers et permettront de recouvrer des informations depuis la Conscience universelle. Vous découvrirez que l'entière bibliothèque vivante de la Terre (contenant, entre autres, la totalité de votre histoire) est conservée dans d'immenses rayonnages de cristal, non pas dans une multitude de livres ; vous aurez à votre disposition la technologie donnant un accès très rapide à toute information que vous souhaiterez étudier.

Fini les constructions de bois, de briques, de béton ou faites d'autres matériaux synthétiques ; vous aurez désormais recours à divers types de structures cristallines pour vos édifices publics et vos résidences privées. Vos habitations seront tels des palais translucides ; cependant, vous y jouirez d'une confortable intimité.

Puisque vous détiendrez des pouvoirs télépathiques pleinement développés, les cristaux servant aux communications à distance entre vous seront en fait superflus. Ils serviront, au cours d'odyssées spatiales, à ceux qui n'auront pas encore atteint la faculté de télépathie universelle – la communication avec toutes les formes de vie –, afin d'établir les communications interplanétaires, intergalactiques et planétaires. Dans les vaisseaux spatiaux, tous les systèmes de communication tels les radars ou les différents types de radios sont basés sur les cristaux. Ultérieurement, vous ferez de ces derniers un emploi illimité.

Je suis Adama.

CHAPITRE DIX-NEUF

Les séismes de l'âme

Mikos, par Dianne Robbins

Au moment où je vous dicte ce message, je suis entouré d'une foule de Cathareéens. Nous nous prélassons sur les pelouses qui entourent la grande bibliothèque de Porthologos, dans l'herbe douce comme de la soie, emplissant nos poitrines de l'air parfumé et riche en oxygène qui nous garde éternellement jeunes et dynamiques. Cet air pur est comme un nectar pour nos poumons, et il préserve nos corps de la maladie.

Le taux d'oxygène à la surface a atteint un niveau si bas que vous souffrez d'« inanition » d'oxygène, ce qui est une occasion, pour des éléments pathogènes, d'envahir votre organisme. Dans la Terre creuse, nous respirons de l'air pur et propre, et buvons de l'eau aussi virginale qu'au temps de la création de la planète.

Nous réalisons la chance que nous avons de pouvoir vivre dans ce sanctuaire souterrain. Installés confortablement, nous nous abreuvons de l'air et des arômes qui émanent d'énormes fleurs autour de nous. Nous habitons un pays des merveilles inondé de beauté, et celle-ci se reflète dans nos âmes.

Notre corps réagit à l'environnement ; il extériorise ce qui nous entoure, en vérité d'une magnificence sans fin. Les arbres et les fleurs dégagent une force et un bien-être qu'à notre tour nous assimilons, ce qui fait que nos corps se conforment à cette image. Nos organismes sont le miroir de notre environnement, de sa perfection. Nous aussi lui renvoyons cette perfection – ainsi, le cycle de la perfection ne s'achève jamais. Et du fait de ce cycle parfait, nos corps demeurent perpétuellement dans cet état et ne sont jamais sujets à la maladie, à la vieillesse ni à la mort. Il s'agit d'un cycle de perfection fermé.

Il sera bientôt midi ici, et nous baignons dans la lumière à spectre complet de notre Soleil central interne, suspendu dans le « firmament ». Le ciel constitue le centre même du globe creux et le soleil ne bouge pas, comme le vôtre semble le faire. Le nôtre est simplement accroché au beau milieu de l'espace, maintenu à cet endroit par les forces de la gravité agissant sur sa circonférence de façon qu'il s'équilibre parfaitement et reste en place.

L'intérieur de la Terre est concave et s'élève en spirale tout autour de nous. Notre image du « ciel » part donc d'une perspective, ou angle, différente de la vôtre. Vous tournez votre regard directement vers le haut, alors que nous regardons tout « autour » de nous. Aujourd'hui, comme à l'habitude, le soleil brille sur notre petite assemblée réunie sur les pelouses de la bibliothèque.

Nos fonctions à la bibliothèque ne ressemblent pas à ce que vous entendez par travail ; elles sont en soi une œuvre joyeuse. Nous nous livrons à ce que nous aimons, librement. Il n'y a pas d'horaire à respecter, ni d'horloge indiquant la fin de la journée de travail. Nous savons très bien ce qu'il faut accomplir chaque jour ; nous y passons le temps que nous voulons ou restons jusqu'à ce que nos tâches soient terminées. Par ailleurs, nous évitons de fixer d'interminables heures de boulot, comme vous le faites. Par rapport à la vôtre, notre journée de travail est courte ; elle compte moins de la moitié de vos heures. Les « heures supplémentaires » sont possibles, mais n'empiètent jamais sur d'autres domaines d'activité. Nos vies sont toujours en équilibre, parce que nous avons des loisirs qui assurent quotidiennement des distractions variées, outre les heures passées « au boulot ».

Nous menons des existences remplies d'aise et de confort ; nous avons fabriqué tout le nécessaire requis pour développer nos talents, élargir nos esprits et renforcer nos corps. Partout, il y a des conservatoires de musique et de danse, des théâtres. Ensemble, nous chantons et dansons, nous affinons nos talents et les épanouissons afin de réaliser de plus en plus d'entreprises novatrices.

Nos vies sont sous l'insigne de la créativité ; nos inventions nous plaisent énormément. Elles sont partagées entre tous, afin que chacun puisse profiter des talents et des aptitudes d'autrui. Nous apprenons les uns des autres, nous nous enseignons mutuellement. Nous adorons coopérer, partager et donner le maximum de nous-mêmes ; ce qui signifie qu'au bout du compte, nous profitons tous de ce que nous avons créé. Ainsi, nos dons se multiplient – les bénédictions se disséminent – et nous moissonnons une abondance sans fin. On ne garde rien pour soi, aucun bien ne constitue la « propriété » de quiconque, contrairement à vous. Parce qu'ici, ce principe est superflu, voire illogique : nous comprenons que chacun fait partie de la Terre et, de ce fait, tout appartient à tous et rien n'est la propriété de qui que ce soit ; tout est gratuit et à la disposition de chacun.

Le partage est la solution. Changez votre terminologie et vous changerez aussi vos habitudes. Transformer votre façon de faire altérera le cours de votre vie : vous retrouverez votre équilibre et aurez ainsi le loisir de développer votre créativité, vos talents et d'explorer la Terre plutôt que de la dévorer. Une fois que vous aurez sondé la complexité, la beauté et la magie de la nature, il vous sera impossible de la mépriser et de la détruire ; vous ne pourrez que l'imiter et l'aimer. Vous comprendrez alors incontestablement qu'elle est vous et que vous êtes elle. *Tout ce que vous détruisez à l'extérieur est anéanti en vous. La nature vous renvoie votre reflet, tout comme vous êtes le sien.*

Observez les ravages causés aux forêts et aux océans sur votre planète, et vous percevrez les aspects de vous-mêmes, de votre propre corps qui sont livrés à la destruction. Les tremblements de terre sont devenus si fréquents à la surface qu'ils se manifestent désormais également dans vos corps physiques et émotionnels.

Tout ce que vous infligez à la Terre, vous vous l'imposez à vous-mêmes. N'oubliez pas ! il n'existe qu'une conscience unique. Vous et nous sommes partie intégrante de cette conscience unique. Si vous détruisez une partie de l'un, les autres parties sont touchées.

Vous n'êtes pas distincts de la Terre, puisque vous êtes la Terre. Vous ne l'avez tout simplement pas encore compris. Combien de fois encore devrons-nous le répéter !

Mais à mesure que vous sortirez de votre léthargie égale à des millions d'années terrestres, vous vous souviendrez de l'interconnexion de toute vie et de la manière dont la santé de l'un est directement reliée à celle du tout. Vous ne pourrez survivre en ruinant l'environnement et en vous livrant à des guerres futiles. Comment pouvez-vous justifier un combat par le simple fait d'habiter une région différente ?

À Porthologos, nous sommes profondément reconnaissants de chaque brin d'herbe, chaque pétale de fleur, chaque feuille dans les arbres. L'harmonie que nous éprouvons est celle que ressentent les fleurs et les arbres ; elle favorise notre croissance et explique l'énorme dimension des arbres qui surplombent le paysage, tous semblables à vos gratte-ciel. Les arbres atteignent une telle proportion parce que rien ne les en empêche. Ils croissent librement, tout comme nous sommes libres de nous épanouir. Parce que l'univers est en expansion, il ne se contracte pas comme vous le laissent croire vos conceptions et votre expérience.

Une fois que vous vous êtes « ouverts » à la vie, vous ne pouvez que vous développer. Quand vous êtes en conflit, dans la pénurie ou obnubilés par l'angoisse, vous ne pouvez que vous fermer et réduire votre envergure, de crainte de n'être vus ou de vous distinguer des autres. Vous enrayez votre pouvoir, neutralisez votre intuition et vos sentiments afin de vous couler dans le moule du plus petit dénominateur commun des gens autour de vous. Ceci freine non seulement votre croissance physique, mais également votre développement spirituel. Si vous vous ouvrez à la vérité selon laquelle vous et l'univers ne faites qu'Un, vous vous éveillez alors à l'ensemble de ce que vous êtes, vos horizons s'élargissent et, littéralement, vous grandissez – en hauteur et en largeur.

Votre corps et votre mental sont interreliés. Si vous pensez petit, vous rapetissez. Si vous croyez que la vie n'existe qu'à la surface de la Terre et nulle part ailleurs, vous vous bornez, ce qui limite votre taille physique, tout comme vos pensées ont circonscrit votre vision. Élargissez votre entendement, et vous agrandirez votre monde ; si vous élargissez votre monde, votre corps réagira par des poussées de croissance et de régénération.

Si seulement vous saviez tout ce que vous êtes, vous mèneriez alors une existence princière dans des palais d'or et non pas dans des villes sales et jonchées d'ordures. Vous avez abdiqué votre majesté, à votre propre insu.

Réveillez-vous ! Car si vous ne le faites pas, les séismes de votre âme vous ramèneront de force à la conscience de ce que vous êtes véritablement – une dynamique susceptible de pulvériser vos conditions de vie actuelles. Bien que vous extirper des décombres d'un séisme exige de grands efforts, une fois sortis des débris, vous constaterez que vous ne « possédez » plus rien. Le choc vous réveillera et vous prendrez conscience qu'il ne vous reste plus que vous-mêmes. Subitement, depuis le tréfonds de votre être, vous trouverez la force, la sagesse qui étaient enfouies en vous. Les secousses terrestres clarifient la densité, de façon que chacun recouvre la vue. Tous vous pourrez alors voir et être ce que vous êtes vraiment.

Notre vision a toujours été limpide, puisque la densité ne l'a jamais voilée. Nous voyons clairement et au loin, parce que rien ne vient obstruer notre vision. Nous apercevons les étoiles, même si nous sommes sous terre, parce que rien ne nous empêche de voir.

Une fois que vous vous serez dégagés de vos systèmes de croyances, des pensées et émotions négatives, vous aussi percevrez la clarté et l'harmonie en vous et pourrez voir tout ce qui vous a été dissimulé par vos gouvernements. Vous reconnaîtrez leurs supercheries et discernerez les faits véridiques concernant la vie sur d'autres planètes et au sein de la Terre, faits perceptibles à tous.

En achevant cette transmission, nous sommes caressés par les rayons de notre soleil déclinant. Nous vous remercions d'avoir reçu notre message.

Je suis Mikos.

Un dernier message d'El Morya

Salutations, amis très chers. Je suis El Morya, le gardien du foyer de la volonté de Dieu pour cette planète.

C'est pour moi un grand plaisir et un honneur d'offrir cette transmission au public francophone qui s'intéresse à Telos. Sachez que je vous garde tous en mon cœur. Cette information est vitale et survient à un moment très opportun ; j'aimerais que vous la preniez à cœur et que vous l'assimiliez à votre conscience. Je vous aiderai de toutes mes forces afin d'élargir votre perception des dimensions supérieures.

Le présent ouvrage a décrit brièvement comment la vie se déroule à Telos mais aussi comment elle est censée se dérouler sur cette planète ; il donne également un aperçu de l'orientation que prend la Terre et de l'avenir de l'humanité. La race humaine sera le témoin de prodiges si invraisemblables qu'ils seront impossibles à dépeindre dans un livre tel que celui-ci. De plus, l'ensemble du plan doit demeurer confidentiel pour l'instant. Ces écrits vous ont donné en quelque sorte une excellente introduction aux merveilles qui vous attendent si vous vous ouvrez aux consciences supérieures et acceptez votre nature divine. Il est également primordial de partager cette information avec ceux et celles qui sont ouverts à ces idées. C'est là un de vos devoirs.

Le moment est venu de ressusciter la conscience lémurienne, de la faire connaître à la surface du globe. Ce n'est ni plus ni moins que le retour de la conscience christique dans son application tout à fait pratique et accessible à tous. La Nouvelle Lémurie n'est pas simplement un lieu à atteindre ; il s'agit aussi d'une condition, d'une perfection, d'un état christique et divin manifestés en une vibration de la cinquième dimension, qui conservera un degré de densité physique.

Toutes les civilisations ascensionnées sur cette planète et ailleurs œuvrent présentement en étroite collaboration, alliées et harmonisées, afin de seconder l'ascension de votre Terre-mère et de la race humaine. Ça y est, voilà le moment que vous aviez tant espéré, depuis tant d'incarnations. Je vous prie donc de demeurer centrés dans votre cœur, de vous focaliser sur votre Soi divin, votre magnifique JE SUIS, sans défaillir au fil de tous les bouleversements, de toutes les purifications que doit subir la planète. Le monde nouveau que vous espériez, les maintes métamorphoses que vous avez tellement désirées sont désormais imminents. Je vous assure qu'il n'y a rien à craindre. Dieu s'efforce de reconquérir sa planète aux mains des seigneurs funestes ; tout repose sur lui. L'ensemble des royaumes de lumière sont à votre disposition afin de vous aider au fil du processus de votre transformation.

Les événements ayant cours sur votre planète sont si exceptionnels que cet univers en entier, ainsi que d'autres mondes, se concentrent sur vous et sur votre Terre. Ce qui se prépare n'est jamais survenu nulle part, dans nul monde ni aucun système solaire ou aucune galaxie. Votre métamorphose sera unique à cette planète. Vous êtes devenus, intrépides humains, les « vitrines de l'univers ». Des millions de vaisseaux spatiaux, nantis de vastes équipages, vous surveillent de jour en jour.

Il est impératif que vous renonciez à votre attachement à la situation passée, à la manière dont, à votre avis, devraient être les choses ; que vous laissiez aussi de côté vos anciennes idéologies, vos structures désuètes. La vie telle que vous la connaissez est sur le point de changer radicalement, et ce, pour le meilleur. La purification de votre planète provoquera la métamorphose déjà en cours. Il ne s'agit plus désormais d'une éventualité future, mes amis. Je le répète : c'est le moment ! Ceux d'entre vous qui préfèrent dédaigner ou nier les déclarations contenues dans ce livre ne pourront s'en tenir à cette attitude bien longtemps.

Le baptême de votre planète a été déclenché le 1er mai 2002. Cette énergie, qui assaille la Terre jour et nuit, continuera d'évoluer, d'accélérer et de s'intensifier irrémédiablement jusqu'à ce que vous nichiez confortablement dans la félicité de la cinquième dimension. Ceux d'entre vous qui décident de se soustraire à l'accélération et au changement devront quitter leur incarnation d'ici peu afin de s'incarner ailleurs, sur une autre planète tridimensionnelle dont les conditions sont similaires à celles de la Terre ; ceci afin de poursuivre leur évolution à leur rythme. Rien ne vous oblige à suivre le courant ; le choix vous appartient.

Je vous le répète, je suis l'une des sentinelles du portail menant à la cinquième dimension. Si vous vous abandonnez à la volonté divine, votre odyssée sera sans heurt et euphorique. Je souhaite ardemment vous accueillir en personne à votre arrivée. Je réitère mon invitation : venez au mont Shasta dans votre forme éthérique la nuit pour assister à nos cours du soir. Ceux-ci visent à préparer votre conscience en vue de la grande transformation. La fraternité de lumière du mont Shasta et la fraternité lémurienne de lumière, de même que plusieurs autres êtres lumineux, se sont réunis pour soutenir l'humanité au cours de son ascension. Un grand nombre d'entre nous sont disponibles et disposés à vous conseiller et à travailler avec vous sur un plan personnel. Les seules exigences requises pour ces cours sont le désir d'approfondir votre compréhension du cheminement évolutif et la volonté de renoncer à votre ego humain au profit du vaste Soi divin et de suivre le courant des manifestations qui vous apparaîtront au fil de votre transformation et de votre ascension.

Je suis El Morya. Je vous offre aujourd'hui le cœur de diamant de la volonté de Dieu.

En terminant

Mikos, par Dianne Robbins

Ouvrez-vous à l'existence de formes de vie autres que vous sur votre planète et vous serez alors en mesure d'explorer les merveilles qui reposent en cette sphère que vous nommez la Terre.

En soi, notre monde est un prodige, et plus vous apprendrez à le connaître, plus vous vous découvrirez vous-mêmes ainsi que l'ensemble de la vie. Car il est possible d'accéder à toute vie en vous élevant à des fréquences supérieures de conscience. Nous pouvons vous voir et vous entendre, vous tous qui habitez au-dessus de nous ; nous vous surveillons étroitement. Nous sommes au courant de tout ce qui se produit à la surface grâce à notre vision ainsi qu'à notre système informatique qui permet une supervision étroite de tout ce qui se trouve sur terre. Nos émissaires vont et viennent depuis notre biotope, ils nous informent et transmettent des renseignements aux habitants de la surface.

Nos messagers sont en contact avec plusieurs personnes qui œuvrent à la dissémination de renseignements concernant les conditions à la surface. Notre réseau de surveillance vous laisserait pantois d'étonnement.

N'hésitez donc pas à vous relier à nous par la conscience ; nous tous ici sommes désireux de vous répondre. *Nous communiquerons avec tous ceux qui établiront un lien conscient avec nous, en toute sincérité.* Parce que notre plus grand désir est de nous connecter à vous pour vous aider à traverser ces temps qui vous mèneront à prendre conscience de toute vie sur terre et à comprendre que nous ne faisons qu'Un.

À l'heure actuelle, vous en êtes au point de votre évolution où vous aurez facilement accès à tout ce qui est, vous mesurerez l'envergure des cellules de votre corps et vous vous unirez de nouveau à nous en conscience. Et une fois que cette union surviendra, vous profiterez de tout ce que nous avons appris au cours de centaines d'éons. En effet, nous avons pu mettre notre conscience à l'œuvre, pour ainsi dire, afin de créer un nirvana contenu dans la sphère de la Terre-mère.

Celle-ci connaît l'existence de tous ses enfants ; elle sait où se trouve chacun d'entre eux, comment il se porte et où il va sur le chemin de la destinée. En vous élevant en conscience, vous serez aussi en mesure de vérifier auprès de la Terre-mère où vous en êtes, d'après ses évaluations de votre état, parce que la lumière qu'émet votre être lui parvient directement, tout comme elle perçoit d'ailleurs vos actions et vos paroles. Vous êtes, en effet, parfaitement équipés pour entreprendre votre périple vers la lumière resplendissante d'une Terre nouvelle.

La santé de toutes les créatures vivantes sur terre dépend de cette connexion avec leur être intérieur, la hiérarchie spirituelle, les cités souterraines et nous, du globe creux.

Votre santé mentale et émotionnelle dépend de cette connexion ; votre survie repose sur ce lien avec toutes les formes de vie, notamment les arbres, qui vous appellent et souhaitent ardemment s'entretenir avec vous. Épanchez-vous en nous, comme nous nous coulons en vous, et ce colossal océan engloutira la Terre entière l'emportant vers la cinquième dimension lumineuse.

Pour le moment, nous vous disons adieu chers frères et sœurs de la surface. Nous espérons que vous répondrez à notre appel, car celui-ci constitue également un signal intérieur. Il s'agit de la même voix : l'appel unique du Créateur tout-puissant qui nous convie à la maison.

Je suis Mikos, et que votre vie soit remplie d'amour et de paix.

En terminant

Adama, par Aurelia Louise Jones

J'aimerais conclure nos messages en vous disant, à vous tous qui avez lu ces écrits, que cela a été un honneur et un grand plaisir pour moi d'avoir à nouveau une voix par laquelle m'exprimer à la surface. J'aimerais de plus exprimer ma profonde reconnaissance envers Martine, son frère Marc et tous ceux qui sont reliés aux Éditions Ariane, pour l'amour et le dévouement acharné qu'ils ont manifestés dans le cours de la création de la version française de ce livre en provenance de Telos. En effet, la population francophone de cette planète se verra grandement bénie par cette œuvre. Celle-ci est en effet tout à fait prête à ouvrir son cœur à son patrimoine lémurien, et la publication de ce bouquin éveillera la mémoire dont l'âme a besoin pour effectuer un autre bond dans l'évolution de la conscience.

Ce livre voyagera par monts et vallées pour atteindre le monde francophone. Il assistera des milliers de personnes sur leur chemin vers la liberté spirituelle. J'aimerais vous rassurer, vous tous qui prendrez connaissance de nos transmissions, où que vous soyez, nous serons là à vos côtés vous envoyant notre amour et vous incitant en douceur à ouvrir votre cœur et votre conscience à des niveaux de plus en plus élevés.

L'énergie qui vous est transmise par les mots et par notre connexion de cœur avec vous changera pour toujours le regard que vous portez sur votre présente expérience de vie. Notre intention, tout au long de ces pages, consiste à vous expliquer à quoi ressemble une civilisation illuminée et à vous encourager à appliquer au plus tôt ces principes au quotidien. À mesure que vous le ferez, vous découvrirez que votre vie s'écoulera avec davantage de facilité et de grâce. Vous tous réunis avec nous du royaume de la lumière serez ceux qui guériront cette Terre. En vertu de la loi cosmique, nous ne pouvons qu'égaler vos efforts. Bientôt, et j'entends par là d'ici à quelques années, c'est-à-dire probablement entre 2005 et 2010, plusieurs d'entre nous surgiront pour être des vôtres et vous montrer comment établir de merveilleuses communautés de lumière et poser les fondements d'un âge d'or nouveau et permanent.

Notre apparition en votre sein sera une merveilleuse expérience pour tous ceux d'entre vous qui attendent notre retour. Notre venue à la surface, pour former avec vous une seule civilisation, constitue la réunion que la plupart d'entre vous attendent, au niveau de l'âme, depuis très longtemps. Je vous incite tous vivement à préparer la voie pour notre arrivée. De notre côté, nous sommes prêts à être des vôtres. Dans l'état actuel des choses, votre monde n'est pas prêt à recevoir nos énergies. Je vous demande individuellement et collectivement de faire tout en votre pouvoir pour vous préparer et répandre ces paroles parmi les membres de votre entourage qui sont prêts à s'ouvrir à cette possibilité. Assurez-vous d'être *sur la liste* de ceux avec qui nous établirons le premier contact. L'endroit où vous habitez importe peu, fût-il très éloigné. Nous avons les moyens de communiquer avec n'importe qui sur la planète si nous le désirons. Pour être sur cette liste, vous devez d'abord en exprimer le désir, puis nous assister ensuite sur le chemin de notre émergence.

Avec ces mots, tous les Télosiens se joignent à moi pour vous transmettre nos vœux d'amour, de guérison, d'abondance, de sagesse et de grâce divine. Sachez que nous sommes les guides qui peuvent vous offrir de l'aide à chaque pas. Il ne faut que le demander et harmoniser votre cœur à la fréquence de l'amour et de la compassion.

Je suis Adama, votre frère lémurien.